땡스 갓,
잇츠 프라이데이

안전가옥 쇼-트 01

심너울 단편집

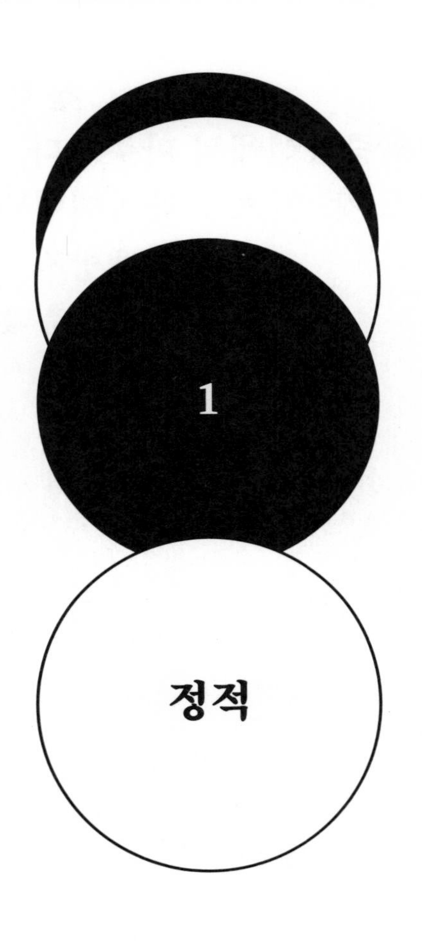
1
정적

나는 에어컨을 빵빵하게 튼 채로 침대에 누워 있었다. 휴대폰으로 드라마를 보았다. 일본 아저씨가 이곳저곳 식당을 돌아다녔다. 그가 이것저것 먹는 한가한 장면들이 지나갔다. 드라마의 백미는 동네에서 돌아다니다 보면 진짜로 보일 만한 곳에 들어가서 진짜로 먹을 수 있을 만한 음식을 먹는 데 있었다. 배우는 평소라면 내 주의를 전혀 끌지 못할 사람인데도, 그가 바삭바삭한 튀김을 씹으니 전율이 흘렀다.

그러다 갑자기 그 바삭바삭한 소리가 멈췄다. 소리가 죽으니 드라마의 본질도 함께 죽었다. 나는 휴대폰의 볼륨 버튼을 이리저리 눌러 보았다. 인터페이스가 나타났지만 소리 크기에는 아무 변화가 없었다. 아직 산 지 2년도 안 지났는데 이놈의 휴대폰이 벌써 망가졌나? 나는 혼자 괜히 궁시렁거렸다.

"-- --?"

분명히 말했다. 그러나 내 목소리가 들리지 않았다. 나는 휴대폰을 집어 던졌다. 그러고는 허리를 일으켜 침대 위에 앉았다. 이불이 부스럭거리는 소리도 들리지 않았다. 나는 입을 벌리고 소리를 냈다.

"- - - - - - -"

목에서 약한 진동이 느껴졌다. 하지만 들리지 않았다. 침대에서 일어나 옆의 의자에 앉았다. 컴퓨터에 연결된 헤드셋을 썼다. 컴퓨터로 아무 음악이나 재생했다. 들리지 않았다. 볼륨을 최대로 높여 보았다. 들리지 않았다. 아무것도 들리지 않았다.

나는 삐 하는 이명이라도 들리길 기대했다. 들리지 않았다. 그 어떤 청각적 자극도 느낄 수 없었다. 귀가 꽉 찬 느낌도 없었다. 현기증도 없었다. 어떤 갑작스러운 감각도 없었다. 갑자기 소리가 사라졌다.

무서웠다. 몇 주 전에 읽은 책 내용이 기억났다. 그 책에서는 뇌의 한 부분이 망가지면 그 부분에 저장된 기억도 사라진다고 했다. 작가는 모든 색각을 갑자기 잃어버린 화가를 소개했다. 그 화가는 빨간색과 초록색과 파란색을 기억조차 할 수 없게 됐다. 그런 색각, 색상이 세상에 존재한다는 사실은 알지만, 그것이 정확히 무엇인지는 파악할 수 없게 된 것이다. 내 뇌의 청각을 담당하는 부분이 망가졌을지도 모른다는 생각을 하니 충격적이었다.

나는 제일 좋아하는 뮤지컬의 메인 넘버를 떠올렸다. 가사와 리듬과 박자를 기억해 낸 다음 노래를 불렀다.

"-- -- -- --, - - -, - - - ----?"

내가 부르는 노래는 들리지 않았다. 하지만 나는 알고 있었다. 소리를 듣는다는 것이 무엇인지 알았다. 소리가 어떤 것인지 기억할 수 있었다. 노래의 선율과 화성이 머릿속에 떠돌았다. 가락과 박자에

맞게 목이 진동하는 것 같았다. 최소한 목은 정상인 듯했다. 그나마 안심이 되었다.

하지만 여전히 무서웠다. 소리를 담당하는 뇌의 어떤 본질적인 부분이 망가지진 않았다 하더라도, 뇌의 일부가 좀 어떻게 되어 버렸다면? 귀가 되돌아갈 수 없을 정도로 망가졌다면?

그동안 뇌와 귀를 해칠 만한 일을 해 왔는지 되돌아봤다. 나는 이어폰을 거의 쓰지 않는다. 사실 음악 자체를 별로 즐겨 듣지 않는다. 최근에 비슷한 증상을 겪었던 것도 아니다. 그 어떤 전조도 없었다. 뭐 두통도 없었다. 혹시 매일 밤 먹는 수면제 때문인가?

인터넷에서 수면제의 부작용을 검색하려고 했다. 수면제의 이름이 기억나지 않았다. 수면제 알약에 새겨진 약어와 알약의 모양을 입력해 검색했다. 내가 먹는 약이 화면에 나왔다. 부작용 목록을 아무리 훑어봐도 난청은 없었다. 눈물이 고였다. 하지만 울고 있을 때가 아니었다. 병원에 가야지.

옷을 입었다. 내팽개친 휴대폰은 바닥에 뒤집혀 있었다. 휴대폰을 집어 들고 주머니에 넣었다. 지갑도 챙겼다. 나는 문밖으로 나왔다. 엄청나게 뜨거운 햇빛과 질척질척한 습기가 나를 맞았다. 선크림을 바르지 않은 것이 잠시 마음에 걸렸지만, 그게 대순가?

거리로 나섰다. 12시였다. 하늘 위에 뜬 해가 마포구 변두리에 옹기종기 모인 주택들을 환히 비추고 있었다. 나는 도로를 가로질러 뛰었다. 뛰는 도중 내 옆에서 몰아치는 진동을 느꼈다. 트럭이었다. 경적을 울리면서 급히 멈춘 것 같았다. 소리는 들리지 않았지만, 귀를 울리는 진동이 느껴졌다. 들을 수 있었다면 트럭의 존재를 미리 알았을 텐데.

너무 무서웠다. 주저앉아 펑펑 울고 싶었지만, 나는 주위를 계속 돌아보면서 걸었다. 그러다 어떤 사람들과 눈이 잠시 마주치기도 했다. 사람들은 다 어딘가로 급히 걸어가고 있었다.

내 뇌가 잘못되었든, 아니면 귀가 잘못되었든 아무래도 보통 문제 같지가 않았다. 작은 병원으로 가면 아까운 시간을 낭비할 것 같았다. 부정확한 진단과 치료를 받다가 이 증상이 영구적으로 유지될까 봐 두려웠다. 그래서 나는 연세대 세브란스병원까지 가기로 마음먹었다. 네 개의 횡단보도만 건너면 닿을 수 있는 짧은 거리였다. 나는 계속 두리번거리면서 빠르게 걸음을 옮겼다.

신촌의 번화가로 들어서자 뭔가 크게 잘못되어 간다는 느낌이 들었다. 수많은 사람들이 거리에 꽉 차 있었다. 이 더운 날씨에, 이상할 정도로 사람이 많았다. 거리에, 고통스러운 열기가 쏟아지는 거리에, 그곳에 선 사람들은 전부 혼란스럽다는 표정으로 고개를 돌려 주변을 살폈다. 인형 탈을 입고 춤추던 사람들도 어느새 탈을 벗은 채로 두리번거리고 있었다. 마이크 들고 가게를 홍보하던 사람들 또한 마이크를 내려놓았다. 길바닥에 그대로 주저앉은 사람들도 보였다.

문득 한 사람이 아이패드를 들었다. 그는 다른 사람들이 아이패드의 화면을 볼 수 있도록 360도로 계속 돌았다. 사람들의 시선이 그곳으로 쏠렸다.

「지금 다 안 들려요」.

아이패드에는 그렇게 쓰여 있었다.

지금 다 안 들려요. 그 말이 옳았다. 신촌 번화가의 입구에서 세브란스병원까지는 차와 사람들이 너무 많아서 도저히 끼어 들어갈 틈이 없었다. 병원 앞의 장사진을 보고, 이 불가해한 상황을 깨달은 사람들이 많았을 것이다. 도로는 정차한 차들로 완전히 막혔다. 어떤 사람들은 눈물을 흘렸다. 다른 어떤 사람들은 뭔가 크게 외쳤다 – 아니 외치는 것처럼 보였다. 아무것도 들리지 않았다.

최소한 여기에 있는 모든 사람들이 소리를 듣지 못한다는 확신이 들자, 나는 갑작스레 허탈해져서 웃었다. 익숙한 웃음이 들리지 않으니 더 기운이 빠졌다. 끔찍한 더위가 다시금 실감 났다. 더위와 공포 때문에 땀을 너무 흘렸다. 공기 중의 습기 때문에 전혀 마르지 않아서, 찜통 안에 있는 것 같다는 진부한 비유가 맞아떨어졌다. 소리고 자시고 일단 땀이 좀 말랐으면 했다. 게다가 이런 상황이라면 병원인들 뭘 해 줄 수 있겠나. 나는 근처에 있는 카페를 찾기 위해 휴대폰을 꺼냈다.

아주 많은 연락이 나를 기다리고 있었다. 대부분의 친구들이 그룹 채팅방에서 "너희도 안 들려?" 같은 이야기를 하고 있던 차였다. 모두 겁을 잔뜩 먹고 있었다. 지난 대화를 거슬러 챙겨 보다가, 잠시 고개를 들어 보니 냉방이 빵빵해 보이는 카페 하나가 눈에 띄었다.

그곳에 들어가니 기대한 대로 기분 좋은 냉기가 나를 반겼다. 카운터에는 아무도 없었다. 좀 있으면 손님이 왔다는 걸 눈치채겠지. 나는 적당히 편해 보이는 의자에 앉았다. 여전히 아무것도 들리지 않았다. 다른 사람들도 다 그렇다고 생각하니, 처음보다는 두려움이 가셨다.

정신을 차리고 친구들의 대화를 다시 보니 그룹 채팅방마다 반응이 달랐다. 근처에 사는 친구들이 모이는 방에서는 몇몇 친구들이 무섭다는 말을 끝없이 반복했다. 반면 같은 학번 동기들이 전부 있는 방은 반응이 더 다양했다.

누군가는 "도대체 무슨 말이야. 병원 가 봐, 빨리."라고 했다. 다른 한 친구는 "아무것도 안 들려. 무서워. 너도 그래?"라고 물었다. 이쯤 되자 도대체 상황이 어떻게 돌아가는지 알 수가 없었다. 어떤 사람들은 들리고 어떤 사람들은 안 들리는 건가?

난 잠시 이 현상이 무슨 종교 집단에서 말하는 휴거 같은 게 아닌가 생각했다. 그렇다면 평소 독실했던 사람들은 불안해하지 않을 터였다. 하지만 학교에서 종교 동아리 생활을 가장 열심히 하는, 그래서 좀 다가가기 꺼려지는 애가 너무나 무서워하고 있었다. 종교랑 가장 멀어 보이고 틈만 나면 음담패설이나 하는 더러운 놈은 이 난리를 전혀 이해 못하겠다는 반응이었다. 그 더러운 놈이 천국에 가고 신앙심 가득인 애가 지옥에 간다면 그건 좀 불공평하지 않나 하는 생각이 들었다.

뭐 어쨌든 휴거는 아닌 거 같고, 애들은 이 상황의 전말을 전혀 파악하지 못한 것 같다. 이제 어떻게 해야 하나 고민하던 찰나, 휴대폰이 울렸다. 재난 문자였다.

「[행정안전부]
서울시 마포구, 서대문구 일대 정적.
해당 지역에서 소리가 들리지 않는 이상 현상이 관찰되고 있습니다.
운전 자제 요망, 현재 해당 지역에 위치한 시민들은 안전한 곳에서 대기 바랍니다.」

◌

일주일이 지났다. 정적은 여전했다. 사람들은 마포구와 서대문구를 정적 구역이라는 이름으로 싸잡아 불렀다. 정부는 모든 가용 인력을 여기에 쏟아부어서 안전 관리를 시작했다. 하지만 소리가 없으니 온갖 괴상한 일들이 일어났다.

많은 학자들이 이 기묘한 침묵 현상에 달려들어서 세부 상황을 하나하나 살펴보았다. 일단, 마포구와 서대문구를 빠져나가면 소리가 들렸다. 구분선은 정확히 행정상 경계 그대로였다. 가양대교, 성산

대교, 양화대교, 서강대교를 반쯤 지나면 갑자기 소리가 뚝 끊기거나 확 풀려났다.

인왕산 정상은 서대문구와 종로구에 걸쳐 있다. 정상에서 서쪽으로 조금 걸으면 모든 소리가 멈추고, 동쪽으로 조금 걸으면 온갖 소리가 들렸다. 덕분에 인왕산에는 수많은 등산객들이 몰렸다. 소리가 들리지 않는 곳에서 말소리를 내려는 어색한 모습을 소리가 들리는 곳에서 보며 즐기는 놀이가 유행했다.

사람들은 인왕산 놀음을 하면서 좀 더 생각을 확장해, 소리가 들리지 않는 구역의 경계가 어디까지일지를 추정해 보았다. 정적 발생 초기에는 마포구와 서대문구의 경계를 기준으로 저 하늘 높이부터 지구의 중심까지 이어진, 찌그러진 원뿔형 공간이 정적 구역이라고 생각했다.

정적 구역의 적용 범위를 연구하는 학자들은 저 진짜 이상한 발상에 주목했다. 지구의 중심으로부터 뻗어 나가는 원뿔형의 구역이라면 우주의 상당 부분이 그 안에 포함된다. 알려진 대로 지구는 돌돌 돌아가니, 그 움직임에 따라 우주의 한 조각이 갑작스레 고요해진다는 것이다. 물론 소리를 전달할 공기가 있는 곳에 한정된 사항이기는 하다. 너무 이상한 이야기였다. 그러나 확인해 볼 필요는 있었다. 사람들은 헬기를 하늘로 높이 올렸다. 고도 1000m부터 소리가 들렸다. 적어도 지구 대기권은 침묵하지 않았다.

하늘에서 정적 구역의 한계 높이를 알아낸 사람들은 땅속으로 시선을 돌렸다. 몇몇 단체가 연합해 난지도 근처에서 굴착기로 땅을 파고 또 팠다. 지하 1000m부터 콰콰콰 하는 요란한 소리가 들렸다. 정적 구역의 경계 지점이 지상 1000m, 지하 1000m라고 하니 이공계열 종사자 등 숫자와 관련한 일을 하는 사람들은 묘한 만족감을 표시했다.

정적 구역 밖의 사람들 중에서도 사태가 일어나자마자 이상 현상을 깨달은 사람들이 많았다. TV로 이런저런 생방송을 보던 사람들이었다. 우연인지 아니면 이 희한한 정적을 만든 사람이 의도한 것인지, 마포구에는 꽤 많은 방송사가 있었다. 아나운서들은 뉴스를 전달하다가 갑자기 자기 목소리가 들리지 않자 깜짝 놀랐다. 대부분은 뉴스룸 밖으로 뛰쳐나갔지만, 프로 정신을 발휘해 끝까지 자리를 지킨 사람도 있었다. 일종의 훈련을 받은 사람들이라 목소리에 큰 문제는 없었지만, 약간 어색해진 표정까지 감추지는 못했다.

갑자기 정적을 맞닥뜨린 사람들의 영상은 동영상 공유 사이트에 돌면서 웃음거리가 되었다. 그러나 단순한 웃음거리로만 볼 일은 아니었다. 통찰력이 뛰어난 사람들은 영상을 보자마자 깨달았다. 정적 구역 내에서도 소리가 나긴 하지만, 단지 사람들이 듣지 못하는 것이다. 그러니까 정적 현상이 일어난 이후에 녹음된 소리들이 전파를 타고 디지털 매체에 저장된 것 아닌가. 하긴 그 기계들은 진동을 디지털 신호로 전환할 뿐, 소리를 사람처럼 듣는 것은 아니니까 이 현상의 영향을 받지는 않을 터였다.

당장 수많은 설비를 옮길 수 없었던 방송사들은 지방 방송사의 시설을 썼다. 오랜만에 후시녹음을 하게 된 방송사도 있었다. 후시녹음의 기술은 많이 사라진 뒤여서, 이제는 전설이 된 늙은 방송인들과 성우들이 다시 돌아오기도 했다.

사태의 진상이 원인 빼고 드러나기 시작하자 많은 사람들이 정적 구역을 떠났다. 수도권 시민들은 갑작스레 치솟는 집값에 환호했다. 그러다 보니 뜬금없이 대통령 지지율도 올랐다. 어떤 사람들은 정적 구역의 빈집들을 닥치는 대로 사서 모으기도 했다. 그 모습을 보면서 나는 부동산이란 게 뭔가 하는 회의에 빠졌다.

조용하게 살다 가고 싶다고 늘 생각해 왔지만, 이런 조용함은 영 달갑지 않았다. 나는 신촌에 있는 찌질한 학교에 묶인 인생이었다. 적어도 졸업장을 받기 전까지는 이 조용한 동네에서 살아야 했다. 학교는 대책이 세워질 때까지 휴교한다고 발표했다. 대체 무슨 대책을 세울 수 있을까?

정부는 이러지도 저러지도 못했다. 정적 때문에 뭔가 커다란 사업을 벌였는데, 갑자기 현상이 끝나면? 그럼 세금 멍청하게 썼다는 온갖 폭격을 받고 침몰하는 것이지. 그냥 손 놓고 있는데, 현상이 끝날 기미를 안 보이면? 그럼 이런 중요한 사태에 세금을 안 썼다는 폭격을 받고 침몰하는 것이고.

마포구와 서대문구의 행정 영역을 다른 구에 통

합시켜 버리자는 구의원도 있었다. 행정 경계에 딱 맞게 정적이 찾아왔으니까. 그런데 다른 당의 의원이 "통합시켰다가 정적 구역이 더 넓어지면 책임질 겁니까?"라고 반대하면서 무산됐다.

그러는 동안 시간은 조용히 흘렀다. 수능을 다시 쳐서 대학을 바꾸려니 너무 늦었고, 인턴 자리에 지원하려 해도 시기가 애매해서 자리가 없는 6월의 어느 하루였다. 세상이 나를 집요하게 괴롭힌다는 생각이 들었다. 솔직히, 이렇게 생각했다 해도 자의식 과잉은 아닌 거다. 아마도 엄청 긴 인류의 역사를 통틀어 이런 일은 처음일 테니까. 신세를 한탄하다 보니 옥상에 올라가 정적에 싸인 동네를 바라보며 담배 피우는 나쁜 버릇이 들었다.

소리가 멎은 이후로 이른 시간에 일어나기가 참 힘들어졌다. 진동 알람으로 일어나기엔 무리가 있었으니까. 사실 우리 학교는 정적 구역에 포함된 지 몇 시간도 지나지 않아 휴교령을 선포해서, 일찍 일어나 봤자 할 일은 없었다. 그래도 오후 2시에 일어난다거나 하면 정말 기분이 끔찍했다. 궁리 끝에 휴대폰을 뺨 밑에 놓고 옆으로 엎드려서 잤다. 아침마다 뺨에 울리는 진동을 느끼며 깼다.

많은 친구들이 본가로 돌아갔다. 가난한 나는 월셋집 보증금 때문에 계속 신촌에 살았다. 이런 일이 있기 전까지만 해도 집주인은 웃는 표정이 참 보기 좋은 사람이었는데, 언제부터인가 그는 항상 표정이 일그러진 채였다.

어쨌든 학교가 쉰다 하니 딱히 할 일이 없었다. 어떻게든 좀 자극적인 일을 찾아 나선 결과, 한적한 번화가 거리를 걷는 데 취미를 들이게 되었다. 오가는 사람들은 줄어들었는데 경찰들이 정말로 많았다. 멍하니 서서 땀을 줄줄 흘리고 있는 그들이 가련해 보였다. 그러다 월급 한 푼 못 버는 내 신세가 더 가련하다는 걸 깨달았다.

가끔씩 소리가 그리우면 서강대교를 건넜다. 공용 자전거 따릉이를 타고 서강대교를 반쯤 건너면, 일시정지했던 음악을 재생한 것처럼 갑자기 소리가 탁 트였다. 마포구의 경계를 넘어서면 마포구 안의 소리가 경계를 타고 넘어 흘러왔다.

익숙해지고 나니 정적이 나쁘지만은 않았다. 소리가 발생하지 않는 방에 있다 보면 사람이 미쳐 버린다던 이야기가 떠올라서, 꽤 위험하다는 생각이 들긴 했다. 하지만 집중이 잘되고 잠이 잘 오는 점이 좋았다. 침대 위에 누워 눈을 감으면 잠시 세상과의 접속을 끊고 고요한 공간에 들어선 것처럼 편안했다. 어차피 구역 밖으로 나가면 소리는 돌아오니까 괜찮다. 나는 스스로를 다독이며 잠을 청했다.

○

하지만 아무래도 잠을 자는 시간보다는 깨어 있는 시간이 더 기니까, 찜찜하고 적막한 나날이 계속되었다. 자주 가던 카페도 문을 닫았다. 필담으로 주문하는 재미가 있었는데 아쉬웠다. 손님이 없어서 버티기 힘들었을 것이다. 새로이 당을 충전할 만한 곳이 필요했다. 마카롱과 홍차가 그리웠다.

나는 골목길들을 쏘다니며 영업 중인 카페를 찾아다녔다. 평소 잘 다니지 않는 곳에서 한 카페를 발견했다. 손님이 몇 명 구석진 데에 앉아 있었고, 젊은 여자가 카운터를 보고 있었다. 다행히 마카롱도 있었다. 가격은 꽤 저렴했다. 나는 품에서 휴대폰을 꺼내 들고 카운터로 다가갔다.

카운터 앞에 선 그는 나를 보고 손을 이리저리 움직였다. 왜 그러는 건지 알 수가 없었다. 나는 휴대폰에,

「블루베리 마카롱, 바닐라 마카롱이랑 차가운 홍차 주세요.」

라고 써서 보여 주었다.

그러자 그가 내게 손을 내밀었다. 휴대폰을 달라는 뜻 같았다. 나는 영문도 모르는 채 휴대폰을 그에게 건넸다. 그는 뭔가 타이핑한 뒤에 휴대폰 액정을 내밀었다. 거기에는,

「수화 할 줄 모르세요?」

라고 적혀 있었다. 살면서 처음 받는 질문이었다. 약간 당황해서 "그래야 하나요?"라고 말할 뻔했다. 나는 고개를 가로저었다. 그러자 그가 웃었다. 웃긴가? 뭐가 웃기지?

그는 자기 휴대폰을 꺼내 뭔가 도도도 쳐서 내게

보여 주었다. 그의 휴대폰에는,

「여기는 원래 청각장애인들을 위한 봉사 단체가 세운 비영리 수화 카페예요. 이런 일이 생기니까 비장애인 분들도 오시네.」

라고 적혀 있었다. 나는 주위를 둘러보았다. 그러고 보니 카페에 있는 사람들이 죄다 뭔가 손짓을 많이 하고 있었다. 이제야 그게 수화인 것을 알아보았다. 민망했다.

그는 구석의 자리를 가리켰다. 그곳에 앉으라는 뜻 같아서 그대로 따랐다. 조금 있으니 그가 쟁반에 마카롱 두 개와 차가운 홍차를 담아 가져왔다.

마카롱을 입에 넣고 씹었다. 바삭하게 부스러지는 표면, 부드럽고 다디단 크림. 홍차를 입에 곧장 흘려 넣었다. 달콤하고 씁쓸한 맛, 식감까지 참 좋았다. 그래도 뭔가 아쉬웠다. 씹고, 마시고, 넘기는 소리가 없는 게 문제였다. 소리를 잃으면 먹는 재미조차 줄었다.

카페의 벽에는 카운터를 보는 여자의 사진이 인쇄된 종이가 붙어 있었다. 자세히 살펴보았다. 그의 사진 밑에 적힌 글은 수화 기초반, 중급반, 고급반 안내문이었다. 사진 속의 그는 머리를 짧게 친 채로 자신만만하게 웃고 있었다. '수화 그거 별거 아니니 신청해 봐.'라고 표정으로 웅변하는 것처럼 보였다.

어차피 정적 구역에서 벗어날 수도 없는데, 수화를 배워 볼까.

이곳의 분위기가 마음에 들었다. 요즘 카페들은 죄다 천장을 시원하게 노출하고, 벽에 아무런 마감재도 바르지 않는다. 넘어지면 크게 다칠 것 같아서 정말 싫다. 커피에 횟가루가 들어갈 것 같기도 하다. 참 이상한 유행이다. 그런데 이 장소는 바닥이나 벽이나 천장이나 깔끔한 타일로 잘 처리되어 있었다. 아주 깨끗하고 조용한 느낌이었다. 생각해 보니 조용한 건 당연하군.

쟁반 위의 음식들을 모두 먹어 치우면서 결심을 다진 나는 휴대폰에,

「저 수화 기초반 들고 싶은데요.」

라고 적은 다음, 카운터에 있는 그에게 보여 주었다. 그는 글을 읽고 나를 한 번 바라봤다. 고개를 끄덕인 그는 메모지 하나를 꺼내더니, 펜으로 글을 썼다. 그가 건넨 메모지에는 이렇게 적혀 있었다.

「기초반은 사람이 없어서 안 열린 지 오래인데, 잘됐네요. 다음 주 수요일 오후 8시에 오세요.」

인쇄한 고딕체마냥 똑바르고 세련된 글씨였다.

○

며칠의 시간이 흘렀다. 기초반 개강까진 어정쩡한 시간이 남아 있었다. 많은 사람들이 떠난 이 동네는 참 심심했다. 새벽에도 휘황찬란하던 신촌의 가게들은 이제 낮에도 텅 비어 있었다. '갑자기 시

작된 현상이니, 조만간 갑자기 끝나지 않을까?'라는 사람들의 기대가 조금씩 꺾였다. 많은 가게들이 폐업했다. 몇 달 이상 장사가 안 되었을 테니 더는 버티기 힘들어졌으리라. 사장님들에게는 월세만큼 슬픈 단어가 없지.

그동안 정적에 대한 새로운 사실이 하나 드러났다. 요컨대, 들을 수 없게 된 존재는 사람뿐이었다. 서대문구와 마포구 안에 소리는 여전히 남아 있었다. 이 사실은 호주에서 온 조류학자가 밝혀낸 것이었다. 그는 소리가 없는 세상에서 살아가는 까치의 생태를 관찰하려고 했다. 그래서 마포구 경계를 오가는 까치들의 영상을 찍은 다음 정적 구역 밖에서 시청했는데, 새들은 소리를 박탈당한 모습을 전혀 보이지 않았다. 이후 몇 가지 정밀한 실험 후에, 인간이 아닌 다른 동물들은 잘만 듣는다는 것이 알려졌다.

이토록 이상한 일이 사람들한테만 일어난다니까 또 여러 호사가들이 나섰다. 세상의 무엇이든지 좀 신비하게, 아니면 쓸데없이 과장해서 받아들이는 사람들이 방송에 많이 나왔다. 과도하게 종교적인 사람들이 신이 나서 종말이니 심판이니 하는 단어들을 주워섬겼다. 주말의 공포 예능 프로그램에서나 등장할 법한 헛소리를 심리학이라는 딱지를 붙여 말하는 사람들도 있었다. 그런 방송에 꼬박꼬박 자막을 달아 정적 구역의 사람들에게까지 친절하게 전달해 주는 것이, 솔직히 나는 우스웠다.

그러거나 말거나, 마땅히 갈 곳이 없었던 나는 수화 기초반이 열리기도 전에 매일 그 카페에 들렀다.

처음 들렀을 때에는 손님이 두세 명뿐이었는데, 날이 갈수록 손님이 늘었다. 용기를 내서 몇몇 사람들과 필담을 해 보았다. 그들은 하나같이 태어날 때부터 소리를 듣지 못한다고 했다. 그중 많은 사람들이 정적 구역 뉴스를 보고 이곳으로 이사했다는 사실을 처음 알게 되었다.

이 카페 안의 사람들은 밖의 사람들과 달랐다. 바깥 사람들의 얼굴에는 항상 우울함이 서려 있었다. 소리가 박탈된 공간을 떠나고 싶다는 기색이 역력했다. 그러나 소리가 없는 삶에 익숙한 이들은 신촌에 내린 침묵을 반겼다.

강남에서 이곳으로 이사를 온 한 사람이, 사실 약간의 소리는 들린다고 했다. 나는 의아해져서,

「그럼 이 조용한 곳을 찾아오는 이유가 뭐예요?」

라고 물었다. 그는 가만히 웃으면서 메모지에 글을 썼다.

「정적 구역 밖에 있으면 들리긴 해도 귀에서 삐 소리가 엄청 크게 나요. 그래서 나는 아무 소리도 없는 여기가 좋아.」
「삐 소리요?」
「네. 신경 문제로 들리는 이명이라는데, 병원에서도 자세한 원인은 모르겠다고 그러네요.」

생각지도 못했던 이유를 마주하자마자 아, 하고 감탄사를 내뱉었다. 그는 내 표정과 입 모양만으로 내 생각을 다 알아차린 듯 미소를 지었다.

적막이 이 동네를 찾아오기 전까지는 알고 지내는 청각장애인이 한 명도 없었다. 갈수록 카페를 찾는 사람들이 많아져서, 사실 조금 놀랐다. 그 사람들 중에는 다가가기 힘든 사람도 많았지만 진작 만났다면 정말 친해지고 싶었을 사람들도 많았다.

가끔은 구석에 앉아 카운터를 지키는 이를 물끄러미 쳐다보았다. 최근에 손님이 많아지니 굉장히 기쁜 것 같았다. 며칠 전에 처음 만난 사람이지만, 그는 내가 아는 사람들 중에서 가장 행동거지가 우아했다. 가만히 보고 있노라면 마음이 가득 흡족해질 정도였다.

수화를 빨리 배우고 싶었다. 꽤 긴 기다림이었다.

○

수요일. 카페는 오후 8시가 되면 문을 닫았다. 이전에는 폐점 시간에 맞추어 카페를 나와야 했지만, 오늘은 그럴 필요가 없었다. 짧은 머리, 세련된 글씨체, 우아한 행동을 가진 사람이 일을 마감하는 모습을 마음껏 지켜보았다.

카페 내부를 정리한 그는 피곤한지 잠시 고개를 뒤로 젖히고 숨을 크게 쉬었다. 그리고 이내 백지 하나와 펜 두 개를 들고 내 앞에 앉았다. 그는 내게 파란 펜 하나를 건네고, 검은 펜으로 글을 쓴 다음에 종이를 내 방향으로 돌렸다.

「비장애인이신데, 왜 수화를 배우려고 해요?」

나는 잠시 그의 눈을 바라보았다. 뭐라고 써야 좀 비장하고 멋있어 보이려나, 생각하다가 바보 같은 얘기를 적어 버릴 것 같아 포기했다. 대신 최대한 솔직하게 쓰기로 마음먹었다. 인쇄된 것처럼 또렷한 글자 밑에 내 삐뚤빼뚤한 글자를 적으려니 약간 민망했다.

「이 카페에 오기 전에는 아는 청각장애인 분이 한 분도 없었거든요. 여기 오시는 분들 서로 막 대화하시는데, 저는 되게 불편하게 필담 나눠야 되잖아요. 제가 학교를 여기 근처 다녀서 어차피 여기 계속 살 것 같거든요. 그러니까 배워야죠, 뭐.」

글로 쓰면 말로 할 때보다 생각이 정리되어 보일 줄 알았는데, 더듬거리지만 않았지 긴장이 눈에 보이는 것은 똑같았다. 부끄러움을 애써 누르고 종이를 돌려 보여 주니, 그는 언뜻 미소를 지었다. 그는 다시 그 깔끔하고 또박또박한 글씨를 적어서 내게 보여 주었다.

「쉽지 않을 거예요.」

「휴교도 했고 되게 심심해서요. 여기 있는 분들이랑 필담해 보니까 좋은 분들도 많은 것 같고.」

「좋아요. 그럼 절대 중간에 그만두지 않겠다고 약속하세요.」

「물론이죠.」

나는 '물론' 위에다 작은 별을 그렸다. 솔직히 이건 좀 귀엽지 않나 싶은데, 그는 나를 무덤덤하게 바라보면서 고개를 끄덕이기만 했다. 약간 어두운 노란 조명이 그의 눈동자를 점점이 수놓고 있었다. 만약 소리가 들린다면, 내 심장이 뛰는 소리가 들리지 않을까 싶은 순간이었다.

그러거나 말거나, 가슴이 뛰거나 말거나, 수화는 굉장히 어려웠다.

나는 수화라는 게 뭐, 그냥 손가락으로 한국어 발화를 흉내 내는 정도라고 생각했다. 알고 보니 손의 모양, 위치, 움직임, 손 외의 다른 부분까지 동원했다. 수화는 성대를 제외한 몸의 모든 부위를 이용한 강렬한 표현이었다. 몸짓에 대응하는 단어도 있고, 문법도 있었다. 문법이 한국어와 크게 다르다는 점이 특히 인상적이었다.

꽤 재미있고 흥미로운 부분이 많았다. 예를 들자면 신조어를 표현하는 방법이 그랬다. 새로 만들어진 단어는 수화 목록에 바로 업데이트되지 않는다. 그래서 사람들은 '유튜브'를 말하고 싶을 때 이미 수화가 존재하는 '유'와 '튜브'를 합쳐서 표현했다.

1년 전, 스웨덴어의 문법이 영어와 비슷해 쉽다고들 하길래 공부를 시작했다. 2주일 하고 때려치웠다. 수화는 낯선 언어이긴 해도 한국말이니 스웨덴어보다 쉽겠지 생각했다. 오산이었다. 문화의 장벽보다, 감각의 장벽이 훨씬 높았다. 음성 언어가 약간의 억양 차이로 다른 뉘앙스를 전하듯이, 수화는 거의 같은 몸짓을 약간 변형하는 것으로 큰 차이를 만들었다. 그 미묘함을 익히기가 굉장히 어려웠다.

그는 나보다 시력이 특출하게 좋지는 않았다. 하지만 사람을 관찰하는 능력이 기가 막히게 뛰어났다. 그와 대화하면서 내 작은 버릇들을 꽤 많이 간파당했다. 나도 잘 모르던 것들이었다. 사실 처음에는 그가 내 수화에 집중하는 모습을 보고 쓸데없는 기대를 품는 바람에 잠도 제대로 못 잤다. 적막한 설렘의 밤이었다.

하지만, 수업을 들은 지 몇 주가 지날 무렵 그 기대와 설렘은 깨졌다. 그와 간신히 수화로 대화를 나누던 중에 그가,

[그 이명 때문에 여기로 온다는 P씨가 제 남자 친구거든요.]

라고 알렸기 때문이다. 실망을 최대한 숨기려고 했다. 관찰력 좋은 그는 쉽게 알아챘겠지만. 한편으로는 그가 자신의 신상에 대한 이야기를 수화로 나에게 알려 주고, 내가 그걸 정확히 이해했다는 사실이 기뻤다. 이런 걸로 행복을 느끼다니 스스로가 우습기도 했다.

한 달 정도 지나자, 수화와 필담과 필사적인 몸짓을 총동원해 그와 비교적 빠른 속도로 대화를 할 수 있게 되었다. 내 수화는 여전히 민망한 수준이었지만 원어민에게 배우는 셈이고, 소리가 없는 곳이라선지 집중도 잘되어 발전 속도는 꽤 빨랐다.

그렇게 지글지글하던 여름도 가고, 가을의 화요일 오후 4시에 있었던 일이다. 서넛의 사람이 카페에 앉아 자신만의 일에 몰두하고 있었다. 손님이 많

지 않은 시간이라 그의 수화 강의가 열렸다. 도중에 그가,

[이제 잡담 시간을 좀 더 많이 늘리는 게 도움이 되겠네요. 이것도 언어라서.]

라는 의견을 낸 덕분에, 그와 더 많은 이야기를 나누게 되었다. 나는 가장 궁금한 것부터 물었다.

[여기 조용해진 거, 어떻게 생각하세요?]

그러자 그는 웃었다. 그가 카페 안쪽에서 노트북을 보고 있는 사람을 턱짓으로 가리켰고, 나도 따라 시선을 돌렸다가 다시 그를 바라보았다.

[저 사람 귀 뒤 봤어요?]

웬 딴소리지? 아니, 소리가 아니라, 음. 하여튼 나는 다시 그 사람을 바라보았다. 귀 뒤로 고리가 걸쳐져 있고, 그 고리와 연결된 둥그렇고 작은 판 같은 것이 머리에 붙어 있었다.

[저게 인공 달팽이관이거든요.]

그는 메모지 위에 달팽이 모양을 그렸다.

[인공 달팽이관이라고요?]

[네, 저게 신경에 직접 연결되어 있어요. 어릴 때 이식하면 효과가 있어요. 비장애인들보다는 못 듣겠지만요.]

[그런데요?]

[그쪽처럼 별 신경 안 쓰는 사람도 있지만….]

그가 날 가리키면서 말했다. 왠지 얼굴이 화끈해졌다. 젠장.

[지하철 기다리고 있으면, 사람들이 저걸 건드려요. 신기하다면서.]

갑자기 얼굴에 몰린 피가 확 빠지는 느낌이 들었다. 아니, 정말 그러는 사람이 있다고?

[진짜 그런 몰상식한 사람이 있어요?]

내가 그렇게 말하자 그가 비릿한 미소를 지었다. 단 한 번도 본 적이 없는 표정이었다.

[많은 사람들이 그렇게 말하죠. 하지만 그런…]

그는 손을 멈추고 머리를 한 번 내저었다. 그러고는 휴대폰을 꺼내서 계산기 앱을 켰다. 뭔가를 도도도 계산한 그는 메모지에 글을 적어 내게 보여주었다.

「당연히 대부분의 사람들이 그리 몰상식하지 않죠. 하지만 100명 중에 세 명만 있다고 쳐도 적지 않아요. 하루에 50명의 사람들이 저 사람 옆을 지나간다고 본다면 1.5명은 만나겠네요. 그럼 거의 맨날 만나는 거죠.」

나는 입을 아 소리를 내는 모양으로 벌렸다. 오래 조용한 곳에 있으니 습관이 바뀌어서, 소리는 내지 않았다. 그는 다시 수화로 말했다.

[사람들 경험이 이렇게 서로 달라요. 이제는 이 동네 비장애인들이 많이 떠났으니, 확실히 편하죠.]

나는 고개를 끄덕였다. 그는 말을 이었다.

[여기 땅값이 엄청 내렸어요. 그래서 제 주변 사람들은 다 마포구 한강변에 있는 아파트에 살게

됐어요. 장애인 편의 시설 설치가 웬 말이냐 하면서 시위하는 사람들도 없고, 창밖으로 한강도 보이고, 얼마나 좋아요. 요즘에는 방송마다 자막도 달아 주잖아요. 수화는 기대도 안 하지만.]

그는 어느 때보다도 즐거워 보이는 웃음을 만면에 띄웠다. 솔직히, 나는 그 모습을 바라보는 것만으로도 정말 만족스러웠다. 그때 그가 한마디 덧붙였다.

[비장애인분이 진짜 소통을 하고 싶어서 수화를 배우러 오는 건 처음이에요. 그래서 참 고맙게 생각해요.]

나도 절로 나오는 웃음을 숨길 수 없었다. 기왕 이렇게 된 거 수화를 파고 또 파서 이쪽 직업이나 잡아볼까, 하는 생각도 들었다. 아니 뭐 불순한 욕망을 떠나서, 정말 세련되고 품위 있는 동네 친구를 가지고 싶다는 생각이 마구마구 솟았다. 그래서 나는,

[소리가 없는 상황에 익숙해지니 많은 것을 새로 보게 돼요. 저도 청각장애인분들과 친해지고 싶었습니다.]

라고 온갖 수단을 써서 그에게 전달했다. 그는 고개를 끄덕였다.

몇 시간 뒤에 수업이 끝났다. 나는 그의 연락처를 얻었고, 곧 식사나 하자고 이야기도 했다. 집으로 돌아가는 길에 사람들의 귀 뒤를 관찰했다. 인공 달팽이관을 장착한 사람이 두 명이나 있었다. 청각장애인들이 여기 정말 많이 모이는구나. 내가 꽤 무심

했다는 생각이 들었다.

카페에서 나올 때 카페를 운영하는 단체의 이름을 봐 두었다. 나는 잠들기 전에 그 단체에 내 이름으로 5만 원을 후원했다. 학생에게는 큰돈이었다. 요즘 약속이 적어서 돈을 쓸 만한 데도 별로 없고 하니까. 뿌듯했다. 가끔 이름 모를 누군가들을 따라 클릭 몇 번으로 작은 후원을 한 적도 있었는데, 그때보다 지금의 기분이 훨씬 나았다. 아주 가슴이 벅찬 상태로 잠들었다.

다음 날 나는 알람보다 일찍 일어났다.

○

시끄러워서 깼다. 에어컨 바람이 부는 소리, 뒤척일 때 베갯잇이 부스럭거리는 소리, 냉장고에서 우웅 하고 흐르는 낮은 소리, 창밖에서 이름 모를 새들이 지저귀는 소리, 어제 켜 두고 잤던 컴퓨터에서 흘러나오는 게임의 배경 음악, 작은 소리, 백색 소음, 큰 소리, 소음. 나는 분명히 들었다.

꿈인가 싶었다. 꿈이라기에는 너무 생생했다. 컴퓨터 앞에 앉아 인터넷을 켰다. 마포구, 서대문구의 적막이 오늘 아침 9시에 일제히 사라졌다는 뉴스들. 이게 다 대통령 덕이라는 댓글도 있었고, 대통령 때문에 이상한 일이 일어난다는 댓글들도 있었다. 나는 대통령 뽑았지 제사장 뽑았냐고 조롱하는 글을 남겼다.

한동안 얼빠진 상태로 있다가, 일단 샤워를 했다. 샤워기에서 흘러나오는 물이 바닥을 때리는 소리가 생경했다. 머리를 감을 때 나는 가볍고 묵직한 소리들을 들었다. 휴대폰에 뉴스 생중계를 틀어 놓은 채로 나는 몸에 비누를 발랐다.

"… 적막 구역의 침묵이 갑작스레 사라지자 마포구와 서대문구의 부동산들이 일제히 300% 이상의 가격 상승을…"
"… 비대위는 적막 구역에 증원했던 경찰 인력을 순차적으로 감원하기로 하였습니다. …"
"… 적막 구역 소재 대학들은 일주일 내에 휴교를 해제하기로…"

휴대폰에 떠오르는 화면을 보니, 어제까지만 해도 뉴스에서 제공되던 자막이 없었다.

나는 하루아침에 달라진 세상 꼴이 기막혀서 하, 하고 한숨을 쉬었다. 비눗방울이 하늘로 동동 떠올랐다.

나갈 준비를 마치니 평소 같으면 잠을 깨웠을 알람이 울렸다. 알람을 끄고 거리로 나섰다. 나는 카페로 발길을 재촉했다. 벌써 사람들이 길거리에 많았다. 그들은 여기저기서 가을 날씨를 즐기며 조잘대고 있었다. 사람들은 더 이상 두리번거리지 않았다. 눈으로 보지 않아도, 소리로 자동차를 피할 수 있게 되었으니까.

나는 지나가면서 사람들의 귀 뒤를 유심히 관찰했다. 카페로 걸어가면서 100명은 족히 마주쳤다.

인공 달팽이관을 낀 사람들은 단 한 명도 찾을 수 없었다. 어제는 훨씬 적은 사람들을 마주쳤지만 그중에 두 명이나 있었는데. 다 어디로 간 걸까?

카페는 아직 문을 열지 않았다. 나는 카페 옆 화단의 낮은 돌담에 주저앉았다. 주머니에서 휴대폰이 마구 울리고 있었다. 채팅방 알림이었다. 한참 떠드는 사람들 중에는 동기들도 있었고 친구들도 있었다. 대부분 소리가 다시 들리니 좋다고들 했다. 누군가는 휴교하는 동안 여유로웠는데 이제 곧 학교에 가야 한다고 생각하니 괴롭다며 투덜거렸다. 나는 친구들이 바랄 진부한 대꾸를 해 주었다. 왜인지는 모르겠는데, 눈물이 났다.

청승맞게 돌담에 주저앉아 나는 훌쩍훌쩍 울었다. 문득 주변이 어두워져 고개를 들었다. 그였다. 그도 눈이 빨갰다. 내가 우는 것을 보고 있었던 건지. 그는 손을 움직였다.

[손님이 많아져서 좋았는데, 다시 원래대로 돌아가겠네요.]
[청각장애인분들이 많이 떠나실까요?]
[근처에 사시는 분들이야 계속 찾아오시겠지만, 그렇지 않으면 힘들죠. 이곳 땅값이 금방 오를 테니까요.]
[P씨의 이명은 다시 돌아왔나요?]

그는 고개를 끄덕이고는 두 손으로 얼굴을 가렸다. 그러고는 펑펑 울었다. 그의 목소리를 처음으로 들었다. 다른 사람과 다르지 않은 평범한 목소리였다.

우리는 카페 앞에 서서 몇 분 동안 눈물을 흘렸다. 이윽고 그는 주머니에서 열쇠를 꺼내 카페 문을 열었다. 그러고 보니 카페 문에 흔히 달려 있는 벨이 없었다. 문은 별 소리를 내지 않고 열렸다.

그를 뒤따라 들어가기 전에, 나는 입구에서 카페를 쓱 둘러봤다. 은은한 커피 냄새가 났다. 깔끔하게 마감된 카페. 동그란 테이블이 두어 개 있고, 단체 손님들을 위한 큰 직사각형 나무 탁자가 있었다. 동그란 의자도 있고 편안한 소파도 있었다. 카운터에는 여러 커피콩과 포장된 과자들이 진열되어 있었다. 굉장히 익숙한 포근함이 느껴졌다.

카페 안으로 들어서자마자 발을 멈추었다. 어, 나는 뒤를 돌아보았다. 방금 전까지 분명히 들리던 새소리가 들리지 않았다.

뒷걸음질을 해 카페 문 밖으로 나갔다. 새소리가 들렸다. 다시 카페 안으로 들어갔다. 새소리가 전혀 들리지 않았다. 아무것도 들리지 않았다. 입으로 소리를 내 보았다. 들리지 않았다. 다시 문밖으로 나가 보았다. 잘만 들렸다.

서강대교 중간에서 정적 구역의 경계를 넘나들던 일이 떠올랐다. 나는 눈물이 멎은 것을 느끼며 그를 바라보았다. 내 친구는 카운터에 힘없이 엎드려 있었다.

꽤 좋은 소식을 전할 시간이었다. 나는 카운터로 다가가서, 그의 어깨를 톡 쳤다. 그가 나를 바라보았다.

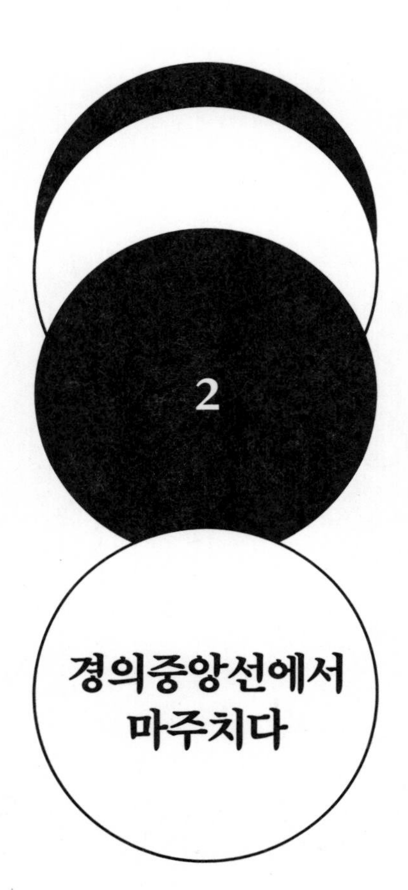

2

경의중앙선에서 마주치다

난생처음 일산에 가 보았다. 곧 결혼하는 절친한 친구가 그곳에 작은 책방을 열기로 했기 때문이다. 4년 동안 건실한 IT 중견 기업 개발직으로 착 붙어 있더니 때려치우고 서점을 연다고 해서 걱정이 좀 되었다.

친구는 다마스를 달달 끌고서는 내가 사는 한남까지 왔다. 원래는 훨씬 비싼 차를 몰고 다녔는데? 알고 보니 앞으로 책을 나를 때 쓰려고 차를 바꿨다고 했다.

"책 장사는 교양을 파는 장사가 아니라 묵직한 인테리어 소품을 파는 장사거든."

천진난만하게 웃으면서 그렇게 말하는 그를 보자 걱정이 사르르 녹아 사라졌다. 친구의 얼굴에는 학교 다닐 때나 보던 순수한 지복이 깃들어 있었다. 처음 와 보는 일산도 군살 없는, 살기 좋은 도시였다.

호수공원에 들러 잠시 거닌 다음 서점으로 향했다. 나는 인테리어 공사를 도왔다. 11평짜리 좁은 공간을 알차게 꾸미려니 어마어마한 품이 들었다. 가능한 많은 책을 전시해야 했고, 동시에 손님들의 시선에 좋은 책이 단번에 들어와야 했다. 게다가 고즈

넉하고 안락하면서 촌스럽지 않은 분위기도 중요했다. 나는 20분 정도 고민하다가 생각을 그만두기로 했다. 아니나 다를까 친구에게 다 계획이 있었다. 화장실 타일 한 장을 깔 때에도 친구의 지시를 그대로 따랐다.

"야, 나중에 오픈하면 신문에 인터뷰 좀 실어 주라."
"내가 문화부 기자냐, 사회부 기자지."

아무래도 인터뷰는 힘들 것 같았지만, 친구는 잘 모셔 뒀던 와인으로 내 도움에 보답했다. 대단히 비싼 물건이라더니 잘 모르는 내가 느끼기에도 맛과 향이 대단했다. 몇 시간 동안 육체노동을 해서 지쳐 있던 내 몸은 술을 쑥쑥 잘도 받아들였다. 나는 거하게 취해 아무렇게나 드러누워 잠들었다.

다음 날, 당장 폭발해도 이상할 것 같지 않은 두통을 느끼면서 부스스 일어났다. 친구는 벌써 일어나 뒷정리를 하고 있었다.

"술 마시고도 일찍 일어나네, 사장님답다?"
"엄밀히 말하면 회사 때문에 생긴 버릇이긴 한데…. 너 어떻게 집에 들어갈 거야?"
"뭐야, 차 안 태워 주게?"
"나 아직 술이 덜 깼어. 할 일도 남아 있고…. 택시 타고 가, 택시. 여기도 타다 오나?"
"뭔 놈의 택시야? 여기서 한남까지면 돈이 얼만데. 지하철 타고 갈래. 보니까 근처에 지하철역 있더만."

그때 친구가 나를 확 돌아봤다. 그 과장된 몸짓에 살짝 놀랐다.

"백마역으로 가겠다고? 너 경의중앙선 타 본 적 있어?"

"아니?"

나는 휴대폰으로 지하철 노선도를 검색하면서 답했다. 백마역에서 타고 한남역에서 내리면 될 것 같았다.

"야, 택시 타라니깐. 내가 돈 줄게."

나는 피식 웃었다.

"됐어. 책 장사에 뛰어든다는 놈이, 돈 아낄 줄 알아야지."

친구가 비장한 표정을 하고는 내게 다가왔다. 그는 내 두 손을 꼭 잡았다.

"힘 내. 미안하다, 무기라도 빌려줘야 하는데…. 여기에는 그런 게 없네. 가다가 연장이라도 하나 사 들고 가."

"술이 아직 덜 깨긴 했나 보네."

친구는 무슨 말을 하려는 듯 입을 벌렸다가 끝내 침묵을 지켰다. 그리고 이내 낯설도록 엄숙한 표정을 지으면서 고개를 절레절레 저었다. 웃기네.

◌

백마역은 서점에서 도보로 10분 거리에 있었다. 지상 신촌역처럼 건물이 커다래서 멀리서도 잘 보였다. 에스컬레이터를 타고 올라가니 내부는 꽤 한산했다. 개찰구에 들어가기 전에 휴대폰으로 열차 도착 시간을 확인했다. 7분 후에 도착할 예정이었다. 개찰구에 카드를 띡 찍고 승강장으로 내려가는 에스컬레이터를 탔다.

그리고 나는 보았다. 승강장 위를 거니는 시체들을. 서른 명쯤 되는 시체들의 시선이 일순간 내게 모였다가, 다시 흩어졌다.

눈을 비비고 초점을 모았다. 다시 보니 시체가 아니라 사람들이었다. 영혼과 생기가 새어 나간 모습이라 시체처럼 보였을 뿐이다. 어제 근처 회사에서 단체 회식이라도 했나? 나는 한숨을 푹 쉬고는 에스컬레이터에서 내려왔다.

"신참, 자네는 어디로 가려고 하나?"
"히익!"

갑자기 아래쪽에서 들려오는 다 죽어 가는 목소리에 기함을 했다. 마른 남자 한 명이 바닥에 엎드린 채로 나를 올려다보고 있었다. 시체 같은 사람들의 시선이 내 쪽으로 다시금 몰리는 것을 느꼈다.

"예…?"
"어디로 가려고 이 저주받은 곳까지 걸음을 했느냔 말이네…."

이상한 사람이야. 나는 빠르게 그를 피해 움직였다. 그러나 세 발짝째에 발목을 붙잡혔다. 다급히 고개를 돌려 주변을 살폈다. 사람들은 나를 퀭한 눈으로 바라보기만 할 뿐 아무런 움직임도 취하지 않았다. 크게 소리를 지르려는 순간…

"이 미친놈이, 뭐 하는 거야!"

멀리서부터 누군가가 호기롭게 외치며 달려왔다. 생기 있는 사람이었다! 한 손에 굉장히 커다란 에코백을 들고 온 그는 내 발목을 붙잡은 남자를 발로 팍팍 밟았다. 남자가 기이한 비명 소리를 냈다.

"끼익! 끼이이익!"

열차가 브레이크를 밟을 때 나는 기분 나쁜 소리였다.

"경의중앙선에 속박된 불쌍한 정념아, 살아 있는 사람을 건드리지 마라!"

남자는 손을 놓고 움츠러들었다. 날 구해 준 사람은 달려오느라 엉망이 된 앞머리를 살짝 쓸어 넘기면서 말했다.

"괜찮아요?"
"아… 네…."
"제가 좀 더 안전한 곳을 알거든요. 따라오세요."
"예? 안전한 곳이라고요?"

그는 대꾸 없이 뒤돌아서 걷기 시작했다. 나는 손목시계를 확인했다. 5분 뒤가 열차 도착 예정 시간이었다. 분위기를 보아하니 제시간에 열차가 올지도 미심쩍고, 그의 뒷모습이 믿음직스러워 뒤를 따랐다. 그는 경중경중 넓은 보폭으로 걸어 나갔다.

승강장 위에 쓰러져 있는 사람들이 워낙 많았기 때문이다.

곧 우리는 승강장 구석의 천막에 도착했다. 자투리 천과 옷을 모아 얼기설기 만든 그 어설픈 천막 내부에는 두 명쯤의 사람이 들어갈 만한 공간이 있었다. 그는 천막 앞에 주저앉아 나를 올려다보며 물었다.

"어쩌다 이런 데 왔어요?"
"예? 지하철 타려고요…."

나는 어이없는 질문에 당황했다.

"와, 용감하시네. 하고많은 지하철 중에 경의중앙선을 타요? 저기 저 사람들 안 보여요?"

그는 손을 내뻗어서 승강장 위에 수없이 널브러진 시체 같은 사람들을 가리켰다.

"저… 여기 처음 와 봐서. 왜 저러고 있는 거죠?"
"기차가 연착돼서 저러고 있는 거잖아요."
"예?"

조금 전 들었던 그 열차 브레이크 소리가 갑자기 또 들려왔다. 나는 소스라치며 소리가 난 쪽을 바라보았다. 텐트 옆에서 한 여자가 나를 바라보며 웃고 있었다. 거기에 사람이 있으리라고는 생각도 못 했다. 그도 그럴 것이, 마치 조형물처럼 생기가 전혀 없는 사람이었다!

"끼… 끼긱… 너도 나처럼 될 거야…. 끼긱…."
"떽! 조용히 해!"

나를 구한 사람이 소리를 질렀다. 널브러져 있던 여자는 지지 않고 나섰다.

"끼긱… 나는 2주일 전 홍대에 약속이 있어 백마역에 발을 들였지…. 끼기긱… 하지만 열차는 지금까지 오지 않았어! 너도 곧 여기에 속박…"

"저 양반 얘기는 듣지 마요. 여기 사람들은 열차에 대한 집착 때문에 열차가 멈출 때 나는 소리를 내요. 괴로운 소리죠."

날 구한 사람이 내 귀를 막았다. 도저히 뭐가 어떻게 돌아가는지 알 수가 없었다. 뭐라고 계속 중얼거리던 여자는 지쳤는지 다시 쓰러졌다.

그가 대뜸 내게 손을 내밀더니 악수를 했다. 그는 맞잡은 손을 흔들면서 말했다.

"소개가 늦었네요. 저는 성하리라고 해요."

나는 또 한 번 놀랐다.

"어? 혹시 웹툰 〈별이 속삭일 때〉 작가님이세요? 그 얼굴 없는 작가…?"

하리는 고개를 끄덕였다. 나는 기절해도 괜찮을 것 같다고 생각했다.

◌

성하리 작가는 N사 웹툰 코너에서 4년째 풀컬러 전일 연재라는 기적을 현재 진행형으로 이루고 있는 작가였다. 일주일 내내 연재에 분량까지 꽤 많아서, 독하기로 소문난 N사 독자들도 댓글로 그를 걱정할 정도였다. 어떻게 매일 이야기를 짜내고 만화를 그리고 채색까지 하지? 어떻게 휴재를 단 하루도 안 할 수가 있는 거야? 심지어 압도적으로 재밌기까지?

성하리는 만화 외의 방법으로는 자신을 전혀 드러내지 않았고, 그로써 더 신비해졌다. 짧은 인터뷰에도 응하지 않았으며, 본인 만화에 대해 어떤 코멘트도 덧붙이지 않았다. 연재 1년 만에 종이책이 출간됐을 때는 드디어 얼굴을 드러낼까 기대하는 사람도 많았는데, 그는 언제나처럼 정확히 자정에 올라오는 만화로만 자신을 증거할 뿐이었다.

어떤 사람들은 성하리가 개인이 아닌 한 집단이라고 말했다. 최소 다섯 명은 되는 아마추어 작가들이 N사의 지령을 받고 프로젝트를 진행한다는 것이었다. 확실히 한 개인의 산물이라고는 믿을 수 없는 작업 속도와 품질이었다. 그 가설은 꽤나 인기를 끌어서, 성하리라는 집단에 어떤 작가가 포함되어 있나 추측하는 놀이도 잠시 유행했다. 하지만 지목된 아마추어 작가들은 하나같이 자신과는 관련 없는 일이라고 했다. 그림체나 이야기에서 드러나는 개성에 너무나 확실한 일관성이 있기도 했고.

이미 다 그려 놓은 작품을 조금씩 쪼개서 푼다는 소문도 있었다. 성하리는 대하극 분량의 만화를 연재하기도 전에 이미 다 그려 놓았다는 것이다. 돌발 상황이나 작업 부진을 대비한 예비 원고인 '세이브'를 쌓은 경험이 있는 성실한 작가들이 지지하는 가설이었지만, 성하리가 댓글 반응을 보고 전개를 수정한다는 유력한 증거가 몇 개 발견되면서 그 가설은 폐기되었다.

현시점에서 가장 합리적이라고 받아들여지는 가설은 성하리가 N사에서 야심 차게 만들어 낸 인공지능 작가라는 가정이었다. N사는 콘텐츠를 창작하는 AI 기술 분야에 투자하고 있는데, 성하리의 만화가 그 기술의 결실이라는 것이었다. 이 가설이라면 그 불가사의한 작업 속도를 설명할 수 있다. 묘하게 설득력 있는 헛소리였다.

그런데 지금 내 눈앞에 인간 성하리가 서 있다.

"인공지능이라니, 하긴 그렇게 생각할 수도 있겠네요. 사실은 경의중앙선이 제 작업 비결인데."

성하리는 텐트 안에 있는 커다란 액정 태블릿을 보여 주었다. 노트북에 연결된 그 태블릿에는 내일 분의 〈별이 속삭일 때〉가 채색이 덜 된 채로 떠 있었다. 나는 조심스레 물었다.

"경의중앙선이 작업 비결이라뇨…?"

"저 여기서 웹툰 창작 시작했거든요."

그는 홍대 근처에 있는 서교예술실험센터에서 일하던 일산 시민이라고 했다.

"경의중앙선 타고 출퇴근했는데, 연착이 무슨 분도 아니고 시 단위로 일어나니까 역에서 버리는 시간이 너무 긴 거예요. 그러니까 하루에 네 시간 정도 시간이 붕 뜨더라고요. 멍하게 있느니 만화나 그려 볼까 하고….”

성하리가 한숨을 푹 쉬었다.

“갈수록 역에서 작업할 수 있는 시간이 늘어나더군요. 딜레이가 계속 길어져서…. 아예 여기서 만화 그리는 게 속이 편하겠다 싶어 가지고 이곳을 작업실로 삼았어요. 위험하긴 하지만요.”

나는 손목시계를 바라보았다. 지하철 도착 시간이 거의 다 되어 있었다. 나는 휴대폰에 지하철 앱을 띄워 그에게 보여 주면서 말했다.

“곧 도착한다는데요?”

성하리가 픕 하고 웃었다. 밉지는 않았다.

“아니, 경의중앙선 시간표를 믿어요? 이분 정치인들 공약도 믿을 분이네.”
“그럼 언제 오나요?”
“글쎄요….”

성하리는 손을 들어서 한쪽을 가리켰다. 갈기갈기 찢어진 누더기를 입은 사람이 두 팔을 든 채로 하늘을 주시했다. 그는 그 자세로 완전히 굳어 버린 것처럼 움직이지 않았다.

“저 사람이 예언자인데요.”
“예언자?”
“예. 열차가 올 시간을 예지한다고 해서…. 적어도 사이비는 아니에요. 하늘에 늘어선 별들이 제자리를 찾을 때 기차가 온다고 해요. 다행이네요. 오늘 밤 9시에 별들이 자기 자리를 찾을 거라는데.”

"밤에 온다고요?"

아직 해가 쨍쨍했다. 하리는 웃었다.

"네. 지금이라도 나가서 택시 타는 게 좋을걸요. 저야 여기가 작업실이고."

나는 주위를 둘러보다가 고개를 저었다.

"아니에요. 마침 잘됐네. 여기 사진 좀 찍어 가야겠어요."

"사진을요?"

"저는 기자거든요. 왜 이런 심각한 상황이 언론에 안 나갔지?"

나는 당당히 명함을 꺼냈다. 성하리가 반색했다.

"잘됐다! 제발 기사화 좀 해 줘요. 진짜 이런 걸 어떻게 대중교통이라고 하겠어. 대중고통이지."

"정말요. 이럴 거라고는 생각도 못 했다니까요."

성하리가 쓴웃음을 지었다.

"경기도 사람들이 타는 노선이라 그런가 봐요. 2호선처럼 서울 사람들이 타는 노선이었어 봐, 참…. 엄청 많은 사람들이 이용하는데도 차는 부족하고 연착은 밥 먹듯이 하고…. 이 지경이 되도록 기사 한 줄이 나오질 않으니."

새삼스레 내 기자 명함이 자랑스러워졌다. 성하리가 말을 이었다.

"그럼 마감하고 나서, 좀 둘러보죠. 위험하니까 내 옆에 있어요."

나는 내 발목을 잡던 그 시체 같은 사람을 떠올리고는 수긍했다.

성하리는 번개 같은 손놀림으로 몇 시간에 걸쳐 채색을 끝냈다. 옆에서 그림을 완성하는 걸 그저 지켜보기만 해도 상당히 재미가 있었다. 오랜 시간 집중해서 그림을 그리는 모습이 정말 인공지능 같다는 생각이 들었다. 게다가 아직 아무도 보지 못한 최신화를 그 누구보다 먼저 볼 수 있다는 점에서도 신이 났다.

그가 만화를 완성해 갈 즈음 저 멀리서 누군가가 다가왔다. 비교적 살아 있는 것처럼 보이는 남자였는데, 점집에서나 입을 법한 화려한 한복을 입고 있었다. 그는 나를 잠시 의아한 표정으로 바라보더니 성하리에게 이렇게 말했다.

"오늘 원고 다 되셨나요?"

성하리가 고개를 까딱하자 그는 별말 없이 USB 드라이브를 내밀었다. 성하리는 USB 드라이브에 원고 파일을 저장한 다음 그에게 건넸다. 그는 인사를 한 다음 품에서 봉투를 꺼내 성하리에게 건넸다. 원고료를 매일 현금으로 받나? 성하리가 봉투를 받자 그는 미련 없다는 태도로 등을 돌리고 역을 떠났다. 나는 의아해져서 물었다.

"원고를 USB 드라이브로 전달해요?"
"여기선 인터넷이 안 돼요."

나는 휴대폰을 꺼내 보았다. 정말로 통신사 데이터가 잡히지 않았다. 와이파이 신호도 마찬가지였다.

"어, 진짜네. 왜…."

"글쎄요, 너무 많은 슬픔이 모인 곳이라 전파 통신이 제대로 작동하지 않는다는데… 사실 뻔한 일이죠. 경기도에서 서울로 출퇴근, 통학하는 사람들이 쓰는 노선인데, 부정적 에너지가 넘실거리지 않겠어요."

고개를 끄덕일 수밖에 없었다. 성하리가 말을 이었다.

"여기 있으면 인터넷이 안 돼서 그런지 집중이 잘 되더라고요. 왜 제가 굳이 여기서 작업하겠어요."

나는 한복 입은 남자가 건넨 봉투에 대해서도 묻고 싶었지만 아무래도 금전 문제 같아서 말을 꺼내기가 힘들었다. 좋아하는 작가다 보니 무례를 범하고 싶지 않았던 것이다. 성하리가 기지개를 켰다.

"그럼, 좀 둘러볼까요?"

나는 하늘을 바라보았다. 어느새 해가 져서 하늘이 조금씩 어두워지고 있었다. 성하리는 어딘가에서 쇠 파이프 하나를 들고 와서는 내게 들려 주었다. 이제 왜 무기가 필요한지 알게 된 나는 고개를 끄덕였다. 본격적으로 나서기 전에, 그에게 넌지시 물었다.

"아, 근데 둘러보기 전에 저 사인 좀… 해 주실 수 있나요?"

"사인이요?"

"어, 여기다… 죄송하지만…."

나는 펜과 명함을 내밀었다. 내 명함 뒷면은 백지였다. 성하리는 웃으면서 말했다.

"미안해요."

기대도 안 했어. 나는 펜을 주머니에 쑤셔 넣었다.

경의중앙선을 타려던 사람들이 처음부터 그렇게 영혼을 빼앗긴 모습이었던 건 아니라고 했다. 물론 긴 시간 동안 지하철을 타야 한다는 압박감이나 출근을 해야 한다는 괴로움 등으로 상당히 고통받기는 했지만, 그래도 생기 있는 사람들이었다. 하지만 오지 않는 열차를 기다리고 또 기다리다가 영혼과 생기, 그리고 지성까지 잃어버린다고 한다.

나는 의구심이 들었다.

"왜, 열차가 계속 안 오면 그냥 나가서 택시나 버스 타면 되는 거 아니에요?"

성하리는 잠시 아무 말도 않다가 불쑥 답했다.

"매몰 비용이 문제예요."

"매몰 비용?"

"10분을 기다렸으니 이제 5분이면 열차가 오겠지. 한 시간이나 기다렸는데 이제 얼마 안 남았다. 하루를 기다렸으니…. 게다가 시간표를 보고 있으면 언젠가 정말 열차가 도착할 거라는 생각을 하게 되잖아요. 그러다 자기도 모르게 이곳에 묶이는 거죠."

"묶인다라."

성하리는 스크린도어를 바라보았다. 오랫동안

열리지 않았다는 그 문에는 먼지가 두툼히 쌓여 있었다.

"나는 만화 그리다가 머리가 아프면 저걸 읽으면서 정신을 차려요."

스크린도어에는 시가 쓰여 있었다. 그리고 그 시들이란… 음.

'극동의 소국 대한민국/하지만 우리는 해냈다/우리는 대한민국이었다/대한민국 만만세' 같은 내용이라든지, 근본적으로 추악하고 뻔뻔한 성희롱이나 다름없는 내용이 주류였다.

"제가 시에 조예가 깊진 않지만 이건 좀, 끔찍한데요."

성하리는 입술을 잠시 물어뜯었다.

"그게 문제죠. 스크린도어에 달리는 시 태반이 이래서. 저쪽에 괴테 시 번역한 것이 하나 있긴 하지만. 그나저나, 이 동네는 처음이세요?"

성하리는 말을 돌렸다.

"아뇨, 그건 아니고. 저는 한남에서 사는데요. 친구가 이 동네에 서점을 열어서 놀러 왔어요."

"아니, 친구가 경의중앙선 탄다는데 말리질 않았다고요?"

"뭐 이상한 말을 하긴 했는데…."

"진짜 한 번도 경의중앙선 열차를 타 보신 적이 없는 모양이네."

"네, 이럴 줄은 몰랐죠. 전 버스로 출퇴근하거든

요. 저희 집에서 20분 정도 걸리는데….”

순간 싸늘한 시선들이 내게 몰리는 것을 느꼈다. 성하리가 황급히 내 입을 막았다. 주변 사람들이 내 말을 듣고 반응한 것 같았다. 성하리는 다급히 속삭였다.

“미쳤어? 여기서 출근 시간 얼마 안 걸린다는 말 하면 큰일 나요! 다들 그거 때문에 이 꼴이 난 사람들인데!”

나는 얼이 빠진 채로 고개를 끄덕였다.

“이런 세상이 있으리라고는 꿈에도 생각 못 했네요.”

그때 누군가 외쳤다.

“통학- 통학- 출근- 출근-! 경기도- 경기도!”

그 뺏뺏이 굳은 예언자라는 사람이었다. 그러자 시체처럼 널브러져 있던 사람들이 내게서 시선을 거두고 비척이기 시작했다. 그들은 무슨 말인가를 차례로 외쳤다. 자세히 들어 보니 지명이나 학교 이름이었다.

“디지털미디어시티!” “서강대!”

야유가 울려 퍼졌다. 예언자가 인상을 찌푸리는 것이 보였다.

“한양대!” “왕십리!” “회기!” “청량리!”

다들 박수를 쳤다. 전혀 힘이 들어가 있지 않아서 오히려 더 기운이 빠지는 느낌이었지만. 예언자가 흐뭇하게 웃었다.

그때 세상 모든 절망의 무게를 다 진 듯한 목소리가 들렸다.

"분당선… 야탑…."

모든 소리가 멎었다. 쓰러져 있던 사람들과 예언자까지 모두 분당을 언급한 사람을 향해 고개를 돌렸다. 시선이 모인 곳에는 좀 세게 잡으면 부스러질 것처럼 지쳐 보이는 한 여자가 하늘을 보고 누워 있었다. 그는 반복했다.

"분당선… 분당선… 왕십리… 환승… 36정거장…."

나는 성하리의 표정을 살피려고 시선을 그에게 옮겼다가, 깜짝 놀랐다. 그는 눈물을 줄줄 흘리고 있었다.

"끔찍해…. 너무나 끔찍해…."

도저히 무슨 상황인지 알 수 없어 내가 물었다.

"무슨 일이죠?"

"저 사람들은 자기가 가야 하는 장소를 말하고 있어요."

불현듯 등줄기로 서늘한 기운이 스쳤다. 나는 더듬더듬 물었다.

"그렇다면… 야탑이라면… 백마역에서 분당선 야탑역까지 출근을 해야 하는…"

성하리는 눈물을 줄줄 흘리면서 말없이 고개를

끄덕였다. 나는 입을 딱 벌렸다. 이곳에 부정적인 에너지가 넘실거린다는 말은 거짓이 아니었다. 배차 간격이 2호선급으로 고쳐지더라도, 야탑으로 통근을 해야 하는 사람의 불행은 여전할 것이다.

성하리는 눈물을 훔치면서 말했다.

"그래도 다행이네요. 이건 별이 제자리를 찾을 때가 오면 예언자가 치르는 의식이에요. 곧 열차가 오겠군요. 나가서 이곳의 이야기를 사람들에게 알리세요."

나는 비장하게 고개를 끄덕였다.

승강장을 메우던 오랜 침묵이 끝나자 예언자가 흡족한 표정으로 고개를 끄덕였다. 그는 어두워진 밤하늘을 바라보면서 주문 같은 말을 크게 외쳤다. 정확히 알아들을 수는 없었지만, 그 안에는 '왕십리', '신도림', '청량리', '신길', '종로3가' 같은 단어가 들어 있었다.

저 멀리서 열차가 진입하는 소리가 들려왔다. 승강장에 쓰러져 있던 수많은 사람들이 어디서 힘이 났는지 일시에 일어났다. 그들은 스크린도어에 바짝 달라붙었다. 모두 열차가 오는 쪽으로 고개를 돌렸다. 그들은 쾌락에 젖은 비명을 내질렀다. 귀가 아팠다.

곧 열차가 도착하고 정차했다. 열차는 거의 꽉 차 있었고, 그 안의 사람들은 스크린도어에 붙어 있는 사람들을 날카로운 눈으로 째려보았다. 문 앞에 바짝 붙어 있지 않은 사람은 예언자와 성하리와 나,

셋뿐이었다. 저 많은 사람들을 다 헤치고 열차를 탈 수 있을지 걱정이 되었다.

성하리가 내 등을 밀었다.

"당신 진짜 운이 좋았어. 자, 가요."
"저기, 스크린도어에 저렇게 많은 사람들이…"

성하리는 아무 말 하지 않고 내가 들고 있던 쇠 파이프를 빼앗았다. 그는 스크린도어로 달려가더니 거기에 달라붙어 있는 사람들을 후려치기 시작했다. 그들은 열차 브레이크 소리 같은 비명을 지르며 스크린도어에서 떨어져 나갔다.

"아, 아니. 지금… 사람들한테…"
"얘들은 사람이 아니야! 어서 타요!"

그때 스크린도어가 천천히 열렸다. 거기 달라붙어 있던 사람들이 일시에 열차 안으로 몸을 비집어 넣으려고 시도했다. 하지만… 하지만 그들은 열차에 탈 수 없었다. 나는 열차 안의 승객들이 그들을 막고 있나 의심했다. 그렇지 않았다. 그들은 마치 투명한 벽에 막히기라도 한 것처럼 들어가지 못하고 있었다.

열차 안에서 승객 하나가 외쳤다. 동정과 분노가 동시에 느껴지는 목소리였다.

"이 미련한 것들아! 너희들이 아무리 이래도 못 들어와!"

성하리가 나를 열차 쪽으로 밀면서 말했다.

"들었죠?"

"네?"

"못 들어간다는 거. 여기 사람들 못 들어가, 저 안에."

"왜… 왜요?"

그는 답하지 않고 나를 다시금 세게 밀었다. 나는 그에게 떠밀려 스크린도어를 통과해 열차 안으로 들어섰다. 승객들이 살짝 놀란 눈으로 나를 바라보았다. 나는 시선들을 신경 쓰지 않고 성하리에게 외쳤다.

"그럼 저 사람들이 귀신이란 건가요?"

"그런 게 아니에요. 경의중앙선 역에서 너무 오래 기다리면 역에 묶여 버려요. 여기에 귀속되어서, 빠져나가지 못해요. 산 것도 죽은 것도 아닌 상태로 영원히…. 당신도 오래 있었으면 그렇게 됐을 거예요."

나는 식겁하고는 성하리의 손을 잡았다. 그는 여전히 스크린도어 바깥쪽에 서 있었다.

"작가님! 왜 이렇게 위험한 데서 원고를 하세요? 어서 여기서 빠져나가요!"

나는 그의 손을 잡아당겼고, 곧장 강렬한 저항감을 느꼈다.

그의 손은 열차와 스크린도어 사이의 빈 공간을 통과하지 못했다. 힘을 아무리 주어도 여전했다. 스크린도어가 닫히기 시작했다. 내 팔에 스크린도어가 부딪혀, 다시금 열렸다.

성하리가 말했다.

"나도 마찬가지니까요."
"하… 하지만… 당신은…"

나는 역에 묶였다는 다른 사람들을 바라보았다. 시체 놀이 분장의 모범 같은 모습을 하고 있었다. 하지만 성하리는 달랐다. 건강하고 활기차 보였다.

성하리는 내가 잡지 않은 한쪽 손으로 바지 주머니에 있던 봉투를 꺼내고는 한쪽 눈을 찡긋 감았다 떴다.

"원고료로 받는 부적이 효과가 좋더라고요."

N사에서 원고를 받는 대가로 부적을 주는 거구나! 나는 N사에서 보냈다는 그 한복 입은 사람을 떠올렸다. 굴지의 IT 기업에서 무당을 쓴단 말인가?

"나를 돕고 싶으면 경의중앙선 기사나 잘 써 줘요. 모르죠. 여기 묶인 사람들도 구원받을 수 있을지. 오랜만에 정말 재미있었어요. 나가면 내 만화나 잘 봐 줘요. 그리고, 가다가 혹시라도 잠들지 마요. 그러다 구리까지 가요."

성하리는 내 손을 뿌리쳤다. 열차 문이 닫히고 있었다. 나는 급히 손을 내뻗었다. 주위 사람들이 나를 험악한 시선으로 보는 게 느껴졌지만 개의치 않았다. 문이 다시 열렸다. 성하리가 나를 바라보았다.

"이봐요. 그러다 여기 묶이면…"

나는 내 명함과 펜을 꺼내 들었다. 이 경험을 잊고 싶지 않았다.

"작가님, 이것도 인연인데 사인 하나쯤은 해 주시죠?"

○

친구는 동네 책방 경영에 성공했다. 분위기도 좋은 데다가 책 큐레이션도 괜찮다는 입소문이 나서 여러 사람이 찾는 명소가 되었다. 퇴사 1년 전부터 자세히 연구하더니 달콤한 과실을 얻은 것이다. 예전보다 수입이 많이 줄었고 일하는 시간은 늘었다지만 친구는 지금이 훨씬 행복하다고 말했다.

"집이 책방 바로 위층이니까 통근이 없잖아? 그래서 오래 일해도 훨씬 덜 괴로워."

그는 이렇게 설명했다. 통근 이야기를 들은 나는 문득 백마역 생각이 나서 물었다.

"너 저번에 백마역 갈 땐 무기가 필요하다고 했잖아. 무슨 뜻이었어?"
"뭔 소리냐?"
"기억 안 나?"
"야, 내가 그런 말을 왜 해…."

나는 백마역을 몇 번 다시 찾았다. 하지만 그 이상한 공간은 다시는 내 눈앞에 나타나지 않았다. 경의중앙선의 배차 간격과 연착은 정말 믿을 수 없는 수준이었지만 별이 제자리를 찾을 때마다 오는 정도까진 아니었다. 영혼이 새어 나간 채로 쓰러져 있는 사람들도 없고, 예언자도 없었다. 그리고 성하리도 없었다.

백마역에 유일하게 남아 있는 것은 거기 있는 사람들에게서 흘러넘치는 압도적인 부정적 에너지뿐이었다. 재미없는 광경이었다.

나는 혹시 그 모든 것이 친구가 준 비싼 와인에 취해 꾼 꿈 아닌가 하는 생각도 해 보았다. 왜, 그 와인이 그렇게 비쌌던 이유가 환각 버섯을 넣어서일 수도 있지 않나? 넌지시 친구한테 물어본 적도 있다.

"저번에 같이 마셨던 와인에는 뭐가 들었어? 좋은 거?"
"어? 아마 카버네 소비뇽일걸?"
"그게 뭐야, 버섯?"
"뭔 버섯이야. 포도주에 들어가는 게 포도지."
"젠장, 재미없는 놈."

갑작스런 비난을 받고 황당해하는 친구를 나는 속 편히 무시했다.

아무런 흔적도 남지 않은 것은 아니다. 나는 주머니에서 잘 코팅해 놓은 종이 하나를 꺼내 살펴보는 버릇이 생겼다. 친구는 내가 내 명함을 코팅해서 들여다본다는 것을 깨닫고 상당히 꺼림칙한 표정을 지었다.

"진지하게 말하는데, 너 그거 병적인 자의식 과잉이야."

사실 내가 보고 있는 것은 명함 뒷면에 있는 성하리의 사인이지만 굳이 말하지는 않았다. 친구도 <별이 속삭일 때>를 매일 챙겨 보고 있는 성 작가의 팬이니까 더욱, 내가 그의 사인을 가지고 있다고 말하면 절대 믿지 않을 것이다. 나는 하지도 않은 거짓말을 했다는 덤터기를 쓰느니 차라리 자의식 과잉이라고 비난받는 길을 택했다.

그 이후로 나는 경의중앙선에 대한 기사를 쓰기 시작했다. 기획 회의에서 일주일에 다섯 번의 발제를 하는데, 최소 네 번은 경의중앙선 이야기를 했다. 경의중앙선은 부조리, 불합리, 모순과 부당함이 똘똘 뭉쳐 만들어진 거대한 흉물 같은 존재였으므로 기삿거리가 화수분처럼 쏟아졌다. 편집부에서는 나를 비난하다 못해 애잔한 눈으로 바라보기 시작했지만, 스스로 택한 길이니 감수해야 했다.

인터넷에서 나는 '또'와 '경의중앙선'이 섞인 별명을 받았다. 경의중앙선 관련된 글은 무조건 이 기자가 썼다는 뜻이었다. 사람들은 내가 파주나 구리에 살 거라고 확신했다. 인터넷 밈 같은 존재가 되어 버린 덕분에, 기사만 쓰면 일정량 이상의 조회수와 댓글 수를 보장받게 되었다. 생각지도 못한 이유로 실적이 올라간 것이다. 뭐, 어떤 식으로든 주의를 환기하는 것이 중요했다.

나는 코레일이 그 무거운 엉덩이를 들게 하는 데 성공했다. 처음에는 말 같지도 않은 대책이 나왔다. 배차 간격이 너무 기니까, 스크린도어에 시가 아니라 단편소설을 적어 넣겠다고 공모전을 시작한 것이다. 코페르니쿠스적 전환이라고 부를 수 있을 그 환상적인 대책은 오랫동안 사람들의 기억에 남아 이야깃거리가 되었다.

물론 코레일 사람들은 웃기기만 하지는 않았다. 수도권을 거미줄처럼 촘촘히 수놓은 어마어마한 규모의 철도 노선을 관리하고 있는 대단한 사람들 아닌가. 경의중앙선에 배치되는 열차가 하나씩 늘어났다. 수요가 큰 노선이었기 때문에 새로운 열차를 도입하는 데 대한 비용 시비가 생기지 않았다. 경기도 사람들이 유의미하게 행복해지기 시작했다. 뭐, 나야 친구 책방에 갈 때 빼고는 경의중앙선을 탈 일이 없기는 한데.

나름대로의 보상은 받았다. 2년 정도 걸리긴 했으나.

며칠 전의 일이다. 〈별이 속삭일 때〉가 연재 6년 만에 하루 휴재했다. 이례적인 사건이었다. 사람들은 성하리 작가가 푹 쉬고 돌아오기를 진심으로 바랐다. 이왕 쉬는 김에 하루가 아니라 몇 주 길게 휴재해도 된다고 덕담을 했다. 늘 비어 있던 작가 코멘트 란에 "감사합니다."라는 인사가 달렸다. 독자들은 작가가 나이가 들다 보니 벽을 좀 덜 치는 사람이 되었나 보다 하고 추측했다.

정답은 나만 안다. 경의중앙선에 속박된 영혼들이 서서히 해방되기 시작한 것이다. 언젠가는 성하리도 다시 생기 있는 자들의 세계로 돌아오게 되리라.

성하리가 휴재를 시도한 이후로, 나는 항상 커다랗고 매끈한 하얀 종이를 들고 다닌다. 다음에는 작가에게 커다란 사인을 요구할 생각이다. 집에 액자도 준비해 두었다.

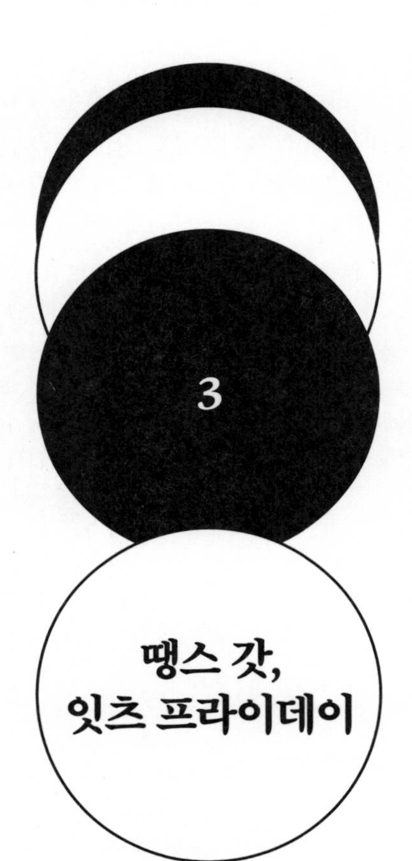

3

땡스 갓, 잇츠 프라이데이

근추동 **행**정**복**지센터 민원팀 김현이 9급 서기보, 혹은 주무관이라는 공식 칭호를 딴 지도 벌써 1년이 지났지만, 정작 본인은 그렇게 불린 적이 언제였는지 가물가물했다. 운이 좋을 때는 선생님이라 불렸고, 평소에는 저기요라고 불렸다. 저기요 정도면 황송한 대접이라고 할 수 있을 것이다.

"야, 내가 아들이라는데 왜 어머니 서류를 못 뗀다는 거야?!"

그를 야라고 부르는 민원인이 일주일에 몇 번은 꼭 있었으니까. 아픈 어머니 대신 서류를 떼러 왔다는 중년의 민원인 앞에서 현은 표정을 구기지 않고 말했다.

"죄송합니다. 대리인이시면 절차상 신청자 주민등록증이랑 도장이 필요하거든요."

"아니 절차는 염병 무슨 절차야. 하이고, 미치겠네. 어머니가 지금 몸을 못 가누는데 주민등록증을 어디서 찾냐고."

어쩌면 현은 이 아저씨에게 뒷사람들을 배려해 달라고 말할 수도 있었을 것이다. 아니면, 절차 얘기를 다시 함으로써 몇 차례나 이어진 순환을 한 번 더 반복할 수도 있었으리라. 대신 현은 감각을 차단하는 방법을 택했다.

너는 계속 짖어라. 나는 생각을 비우련다. 현은 두 눈을 또렷하게 떴지만 아무 데에도 초점을 맞추지 않았고, 귀로 들려오는 모든 소리에 평등하게 무관심을 분배했다. 입으로는 기계적으로 죄송합니다란 문장을 연속 출력했다. 잠시 감각의 가사 상태에 빠지기, 이것이야말로 1년 동안 민원팀에서 일하며 김현이 배운 가장 유용한 능력이었다.

눈앞에서 온갖 개소리를 늘어놓던 아저씨는 소리를 고래고래 지르다 사라졌다. 분노의 배출이 끝나서 물러난 것 아닐까 하고 현은 생각했다. 어차피 그 아저씨는 자신이 매우 화가 났다는 것을 누군가 알아주길 바랐을 뿐일 테다. 유아적이다.

그러고 보니 점심시간이었다. 김현은 옆 창구를 바라보았다. 동료 윤희랑이 보였다. 그를 보고 있으면 그저 웃음이 슬슬 흘렀다. 볼 때마다 민트색이 어울리는 상큼한 사람이라고 생각했다.

희랑은 민트색처럼 차가운 사람이기도 했다. 그는 벽시계를 확인하더니 잽싸게 일어나서 행복센터 밖으로 걸어 나갔다. 근추동 구석의 연구소에서 일하다 공시를 쳤다는 희랑은 행복센터의 그 누구와도 친교를 맺지 않았다. 현은 그의 옆자리에서 일한다는 사실만으로 만족했다.

○

김현은 일주일 중 이틀만 살았다. 그 이틀은 금

요일 오후 6시에 시작되어 일요일 오후 6시 즈음에 끝났다. 평일에는 차마 살아 있다고 하기 힘들었다. 매주 찾아오는 그 짧은 생명의 기간이 또다시 시작되었다. 현은 행복센터 밖으로 급히 튀어나와 주차장 구석에 세워 둔 스쿠터 위에 올랐다.

동장 장민혁은 그의 스쿠터를 볼 때마다, "배달부도 아니고 그런 걸 타고 다녀?" 하고 노골적으로 핀잔을 줬다. 하지만 현에게 스쿠터는 결코 포기할 수 없는 해방의 상징이었다.

근추동과 그에 인접한 동네들은 모든 직장인들에게 악의를 품은 어떤 도시계획 전문가가 한 땀 한 땀 세심히 짜 낸 듯한 난개발의 정수였다. 한 블록 건너마다 있는 교차로의 신호등은 주기가 교묘히 엇갈리도록 조작되어 보행자의 정신을 으깨 버렸고, 1차선에서 5차선까지 변화무쌍한 도로 폭은 운전자의 영혼에 깊게 남을 흉터를 새겼다.

물론 누군가가 고의로 근추동을 그렇게 악랄한 형태로 개발한 것은 아니었다. 10년 전만 해도 근추동은 동네 논에서 미꾸라지를 잡아 추어탕을 끓여 먹을 수 있는 한가한 농촌이었고, 인구가 적었기에 '동'도 아니었다.

그런데 6년 전에 의식론 연구소라는 괴상한 이름의 시설이 들어서고 나서 많은 것이 바뀌었다. 근추동의 정중앙에 자리 잡은 그 연구소 탓에 근추동은 고학력 연구원들이 사는 땅 반, 현 같은 상대적 저학력자들이 사는 땅 반으로 절묘하게 나뉘었다. 왕복 1차로도 꽤 있던 근추동 도로망은 연구소 설립 이후 기괴한 모양으로 발전했다.

현은 도로에 붙박여 있는 듯한 차들 사이를 가르면서 일과 중에 장민혁 동장이 한 말을 떠올렸다.

"일주일 뒤야, 사랑의 김장 행사. 다들 김치 만들어서 사람들한테 나눠 줄 준비 해야지?"

그 말을 들은 모두가 조용히 한숨을 쉬었다. 작년에 처음 발령을 받자마자 배추김치 2000포기를 날랐던 기억을 현이 어찌 잊을 수 있을까. 벌써 1년이 지났다며 시간의 비정한 속도에 감탄하기에는 그때의 고생이 아직 너무도 생생했다.

근추동의 동장 장민혁은 서유럽에 본사를 둔 유명한 맥주 회사의 마케터이기도 했다. 그는 서유럽에 살았던 적이 없고, 공무원의 신성한 겸업 금지 의무를 위반하지도 않았다. 다만 그의 30년 경력이 빛을 발하는 업무 처리 방식과 재수없게 얽히는 날이면, 현은 집에 가는 길에 수입 맥주 네 캔을 안 사려야 안 살 수가 없는 것이었다. 예의 김장 행사도 장민혁이 지역 언론에 얼굴 한 번 드러내기 위한 개수작에 지나지 않았다. 장민혁이 그 행사에서 하는 일이라곤 아무것도 없었다.

현은 퇴근하는 길에 수입 맥주를 네 캔 샀다. 집에 도착한 그는 한숨을 쉬면서 자취방의 문을 열었다. 익숙한 집 안의 냄새를 맡았다. 현은 자신에게 쉴 자격이 있다고 확신했다. 그는 맥주 세 캔이 담긴 비닐봉지를 냉장고 냉동실에 집어넣고 한 캔을 딴 후 벌컥벌컥 마셨다. 이상하다 싶을 만큼 피곤했다. 그는 솔솔 쏟아지는 잠에 스스럼없이 몸을 맡겼다. 내일은 토요일이니까, 늦잠 자도 괜찮아.

완전히 잠들기 전에 현은 매일이 금요일 같기를 바랐다.

○

휴대폰이 시끄럽게 울었다. 침대에 누운 현에게 햇볕이 쏟아졌다. 그는 머리맡에 놓아두었을 휴대폰을 이리저리 찾았다. 아무리 손을 휘저어도 차가운 플라스틱의 질감이 느껴지지 않았다. 벨 소리가 약간 멀리서 들려왔다. 휴대폰을 책상 위에 두었던가 보다. 이상하다, 어제 분명 침대에서 휴대폰을 보다 잤는데. 현은 몸을 일으켰다. 그는 예상대로 책상 위에 놓여 있는 휴대폰을 집어 들었다.

전화가 온 줄 알았더니 모닝콜이었다. 현은 어안이 벙벙했다. 금요일까지 버텨 낸 자신을 위로하며 맥주를 마시고 잤는데 왜 모닝콜이 울리지. 분명 주말이랑 공휴일에는 안 울리도록 해 뒀는데. 그는 알람을 끄고 요일과 시간을 확인했다. 금요일 오전 7시 20분이었다. 평일마다 맞춰 두는 알람 시간이었다.

'어제가 목요일이었나?'

요즘 정말 힘들긴 한 모양이었다. 현은 아침부터 비릿한 좌절감을 느꼈다. 하지만 좌절에 빠져 있을 여유는 없었다. 빨리 출근할 준비를 해야 했다. 긴 한숨을 쉬고 현은 화장실로 들어갔다.

술에 약하긴 해도 맥주 한 캔 마시고 필름이 끊길 정도는 아니었다. 필름이 끊겼다기에는 어제 기억이 너무 생생했고, 몸도 거뜬했다. 그는 빠르게 샤워를 끝냈다. 서둘러 나갈 채비를 마친 현은 스쿠터를 찾았다. 스쿠터조차 기억과 다른 위치에 주차되어 있었다.

행복센터에 도착한 현은 자기 자리를 찾아 앉은 다음, 팔을 위로 쭉 뻗어 기지개를 켰다. "으어-." 하는 신음 소리가 자신도 모르게 흘러나왔다.

"많이 피곤한가 봐요, 현 선생님?"

옆자리에서 일하는 희랑이 걱정스러운 목소리로 물었다.

"어, 예?"

생각도 못한 친절에 현은 희번덕 눈을 돌렸다. 그의 입에서 참으로 가식 없는 웃음이 흘렀다.

"아, 허허, 예, 좀, 왠지 휴일 없이 일하는 느낌도 들고."
"그래도 오늘 고비만 넘기면 토요일이잖아요. 힘내야죠, 뭐."

희랑은 살며시 웃으면서 말했다. 고비, 고비라. 어제가 진짜 금요일인 줄 알았는데. 현은 따라 웃으면서 그의 미소가 참으로 아름답다고 생각했다. 희랑이 자신에게 웃어 준 적이 있었나? 이번이 처음인 것 같다. 역시 나쁜 일만 있으란 법은 없다고 현은 생각했다.

"오늘 김치 나르는 거, 파이팅."

"예?"

김현의 목소리가 갈라졌다. 희랑의 눈이 살짝 커졌다. 현은 덜덜 떠는 모습이 들통나지 않도록 옷깃을 여몄다. 갑자기 두통과 현기증이 찾아와서 그는 머리를 짚었다. 윤희랑이 그 모습을 주의 깊게 바라보았다.

○

의미는 있지만 기쁨은 없는 김치 제조 노동이 시작된 지 몇 시간 만에 장 동장이 행복센터에서 어슬렁어슬렁 기어 나왔다. 민둥머리에 별반 의미 없어 뵈는 위생모를 쓰고 불룩 튀어나온 배 위로 작은 앞치마를 가까스로 걸친 것이 과히 보기 좋은 모습은 아니었다. 그는 열심히 배추에 양념을 바르고 있던 사회복지팀 말단의 자리를 빼앗았다. 근처에 서 있던 기자 하나가 그의 모습을 열심히 촬영하기 시작했다. 현은 앳된 기자의 얼굴을 보고 인턴 기자겠거니 생각했다.

"우리 근추동 이웃들… 홀몸 노인, 북한 이탈 주민, 다문화가정 등지의… 그런, 같은, 어려운 이웃들에게 사랑을 나눌 수 있어 참으로 기쁩니다. 흐허허!"

장민혁의 침이 사방으로 튀었다. 현은 자기가 나르던 김치 상자에서 김치 한 포기를 꺼내 동장의 입 안에 욱여넣고 싶다는 욕망을 간신히 억눌러야만 했다. 동장은 겨우 몇 분 뒤 어딘가로 사라졌다.

김현과 윤희랑은 보건증이 없어 김장 담그기에 참여할 수 없었다. 대신 배추나 완성된 김치를 포장하고 나르는 일을 했다. 수 시간 동안 쉼 없이 일한 김현의 팔이 후들후들 떨렸다. 가을인데 땀이 비 오듯 흘렀다. 그는 잠시 탁한 하늘을 바라보며 숨을 돌렸다. 젓갈 냄새가 온몸에 밴 것 같았다. 그는 이내 땅바닥에 주저앉았다.

"죽겠네."
"표정이 너무 안 좋으시네. 그렇게 힘들어요?"

윤희랑이 그에게 다가와 물었다.

"어… 아뇨, 뭐. 흐흐."

김현은 애써 말짱한 척을 해 보았다. 희랑은 씩 웃었다.

"요즘 힘들어 보이시네요."
"아, 네. 뭐. 희랑 선생님은 괜찮아요?"

김현은 대화를 지속하고자 무난한 질문을 던져 보았다. 인간관계에 취약한 그로서는 위대한 도약이었다. 희랑이 그걸 알아주기나 할지는 모르겠지만.

"저도 죽겠죠. 아, 빨리 끝내고 집에 가고 싶다. 현 선생님은 끝나고 뭐 하세요? 친구랑 약속이라도?"

현의 눈이 커다랗게 뜨였다.

"예? 저는 아무것도… 혹시 그럼 저녁이라도…."

한 시간 뒤, 현은 스쿠터를 타고 퇴근길을 쌩쌩 달리고 있었다. 피로와 좌절이 싹 씻겨 나간 채였다. 희랑은 "오늘 저녁은 힘들겠지만, 다음 주 금요일이라면 괜찮으니 식사 한번 같이 하시죠."라고 말했다. 세상에! 현은 신호를 받고 멈춰 선 동안 앞차의 창문에 비치는 자신의 얼굴을 감상했다. 살면서 잘생겼다는 말은 엄마한테만 들어 봤는데, 사실 다른 여자들도 다 그렇게 생각하면서 부끄러워 그렇게 말하지 못한 것 아닐까? 뭐 그런 생각이 현의 머릿속을 휘저었다.

따스한 이불에 폭 안기면서 현은 오늘이 아니라 다음 주에 만나는 것도 좋다고 생각했다. 일주일이라는 긴 시간 동안 황홀한 기대감과 함께 살아갈 수 있으니까.

○

이튿날 아침, 현은 지나치게 행복한 꿈에서 깼다. 몸에 걸린 모든 무게와 익숙한 뻐근함이 완전히 사라진 채로 하늘을 나는 꿈이었다. 일어난 직후에는 지금 당장이라도, 정말 당장이라도 창문을 열고 하늘을 날아갈 수 있을 것만 같았다.

하지만 얼마 지나지 않아 현의 기분은 추락했다.

거부할 수 없는 현실의 무게감. 꿈꾸던 도중에 깬 탓인지 몸이 다른 때보다 훨씬 묵직했다.

가만히 누워 있던 그는 휴대폰이 연주하는 금요일의 모닝콜 소리를 들었다. 날짜를 확인했다. 착각이 아니었다. 그가 어제, 아니 지난주에 생각했던 것이 틀리지 않았다. 여섯 날이 그의 기억에 아무런 흔적도 남기지 않고 통째로 지나갔다. 분명히, 분명히 어제는 금요일이었는데. 김장 행사 때문에 하루 종일 김치를 날랐는데.

잘 때마다 시간이 6일씩 흘렀다. 금요일 밤에 잠들었다가 일어나면 다음 주 금요일 아침이었다. 세 번의 연속된 금요일과 두 번의 시간 도약을 경험하고서야, 현은 그 비현실적인 현상이 실제임을 받아들였다.

김현은 휴대폰의 메신저를 열어 보았다. 그의 인간관계는 사막처럼 삭막해서, 지난 6일 사이에 누군가와 대화를 나눈 흔적은 딱히 없었다. 수요일에 배달 애플리케이션에서 온 연락이 전부였다. 몇 분 뒤 음식이 도착한다는 내용이었다. 하지만 현은 아무것도 기억나지 않았다. 아무것도.

'대체 그 주문을 한 사람은 누구지?'

누구긴 누구겠나, 현 자신이지. 그는 벌벌 떨리는 손으로 책상 서랍을 열었다. 빨간 마커 하나를 꺼낸 그는 집 벽 곳곳에 휘갈겼다.

너는 누구야
너 대체 뭘 하는 거야

너, 아니 나는 도대체 누구냐고. 왜 내 기억이 사라진 것이냐고. 내가 없는 일주일 동안 대체 무슨 일을 하며 살아가고 있냐고….

마음속 질문을 벽에 실컷 쏟아 낸 김현은 다시 침대에 누웠다. 출근하기에는 이미 늦었다. 장 동장에게 전화를 해야 한다는 의무감이 들었으나, 극심한 피로감과 황망한 공포감이 훨씬 더 컸다. 그는 눈을 감았다. 몇 시간 동안 온갖 생각을 하면서 뒤척였지만 잠은 하나도 오지 않았다.

그러는 동안에 휴대폰으로 자꾸 전화가 왔다. 아마 행복센터에서 온 전화이리라. 현은 무시하고 또 무시하다가, 도저히 잠들 수 없다는 것을 인정한 뒤에야 일어나 휴대폰을 집어 들었다. 행복센터에서 온 연락이 맞았다. 부재중 전화를 남긴 사람은 윤희랑이었다. 현은 그제야 희랑과 한 약속을 떠올렸다. 일주일 뒤에 같이 식사하자고 말했지만, 현에게는 그 일주일이 일주일이 아니었다.

○

저녁 7시에 둘은 의식론 연구 단지 근처의 식당에서 만났다. 인테리어를 현대적으로 깔끔하게 잘 뽑아낸, 멕시코 요리를 파는 곳이었다. 식당에서는 음악 스트리밍 앱에서 뽑은 최신 인기 음악이 흘러나왔다. 기껏 인테리어로 잘 잡아 놓은 분위기와는 영 동떨어진 노래들 때문에 식당 레벨이 딱 근추동 수준으로 격하되었다고, 현은 생각했다. 타코와 퀘사디아를 주문하고 기다리는 사이에 윤희랑이 물었다.

"오늘 왜 안 오셨어요?"

현은 답하지 않았다. 희랑은 인내심을 발휘하며 다른 질문을 던졌다.

"병가 내신 거죠? 표정이 너무 안 좋아 보이시네요. 어제까지만 해도 괜찮아 보이시더니."

"제가 어제 괜찮았나요?"

현은 반문했다.

"네?"

희랑이 무슨 말인지 모르겠다는 투로 되묻자 현은 한 번 고개를 젓고 말했다.

"그냥, 당연히 힘들잖아요. 우리 일이. 무의미하고. 그래서 오늘 안 갔어요."

희랑은 하드 타코를 상당히 우아한 몸짓으로 조금도 흘리지 않고 먹으며 현의 말을 들었다.

"무의미하다뇨?"

김현은 당장이라도 접시 위로 닭똥 같은 눈물을 죽죽 흘리면서 시간의 왜곡에 대해 이야기하고 싶었지만, 겨우 이성을 다잡았다.

"우리 하는 일이 무인 민원 발급기가 하는 일이랑 다름없잖아요?"

"예?"

현은 고개를 푹 숙였다.

"서류 떼 주는 것 말고 특별히 하는 일이 있나. 하긴 민원 발급기는 김치는 못 담그겠지만, 그건 원래 저희 일이라곤 할 수 없으니까…."

"민원 발급기 진짜 이상하잖아요. 아시면서…. 그리고 사람이라서 할 수 있는 것도 있죠."

"그게 뭔데요?"

희랑은 답하지 않았다. 현은 대답을 듣지 않고도 짐작했다.

무인 민원 발급기는 몇몇 식당에 있는 무인 주문기와 일촌 관계에 있는 기계들이었다. 남녀노소를 가리지 않고 모두에게 고통을 줄 수 있도록 설계되었다는 말이다. 등본 하나 뽑는 데에만 열 개 정도의 과정을 거쳐야 했고, '이전 화면'과 '첫 화면으로' 버튼이 교묘히 붙어 있어 그간의 노력을 곧잘 물거품으로 만들었다. 그것들은 시민들이 행복센터 직원에게 민원을 청할 통로 자체를 차단하여 행정력의 효율적 활용을 꾀하는 목표로 제작되었던 것이다. 하지만 기계는 시민들의 다양한 요구 사항을 다 들어주고 대응하지는 못한다. 아직 인간은 무인 발급기보다 훨씬 우월했다.

현은 쓴웃음을 지으면서 말했다.

"그래요. 좀 더 낫다 쳐도, 공무원 생활 어떠세요? 이전에 연구소에서 일하시던 때에 비해서."

"저야 훨씬 좋죠."

김현은 타코의 껍질을 산산이 부수어 속을 빼낸

후 입안에 넣었다. 휴지로 입을 쓱쓱 닦으면서 그는 물었다.

"뭐가 더 좋으신데요?"

"저는 사람들 도와줄 때마다 보람 있어요. 의식론 연구소에서는 행정 업무를 봤는데 부장이 완전 미친놈이었거든요. 민원인들은 그래도 최소한 감사는 하지 않나요?"

"그 진상들이 감사를 한다고요? 오전 9시부터 일 시작인데 왜 더 일찍 안 봐 주냐고 침까지 뱉는 인간들이요? 규정이 아니라 자기 말을 법으로 아는 사람들이? 그리고 장민혁 동장보다 더 미친 상사가 있냐구요."

"네."

윤희랑은 단호히 답했다. 김현은 공격적으로 말했다.

"아니 그런 인간들이 일하는 곳이란 말예요? 대체 거기는 뭐 하는 데랍니까?"

"저도 잘 모르죠. 가끔 거기서 자원자들 받아서 실험하면 행정 일을 하기는 했는데, 그뿐이에요."

"어, 무슨 실험인데요? 자원자들을 받아요? 저는 그 의식론이라는 게 무슨 말인지 감도 안 잡히는데."

"음…. 깨어 있는 사람들은 다들 의식이 있잖아요. 지금 현 씨도 저를 보고, 기억을 하고, 뭐. 그런 걸 연구해요. 저도 더 이상은 모르지만. 이름이 좀 거창해서 그렇지 뇌 과학 비슷한 거 아닐까 싶어요. 저는 가끔 근추동 사람들 불러서 MRI 찍고 그러는 것만 도왔죠."

김현은 멋쩍게 웃었다.

"그게 무슨 말인지…. MRI까지 찍는 실험에 자원하는 사람이 있나요?"

윤희랑의 표정에 숨길 수 없는 경멸이 스쳐 지나갔다.

"동기는 다양하죠. 호기심, 돈…. 네."

대화가 얼어붙었다. 현이 기대하던 그 어떤 사건도 없이 둘은 식사 후 곧 헤어졌다. 현은 어깨를 축 늘어뜨린 채로 길을 걸었다. 어두컴컴했다. 집으로 돌아오니 아침에 붉은 마커로 휘갈겨 써 놓은 온갖 글들이 현의 눈에 밟혔다.

현은 자취방 한구석에 있는 노트북을 켰다. 대학을 졸업할 즈음에 산 물건이었는데, 일을 하게 된 이후로 통 쓰지 않아서 먼지가 쌓여 있었다. 그는 노트북 화면 위에 달린 웹캠이 최대한 넓은 각도를 찍을 수 있도록 주의 깊게 배치한 다음, 최저 화질로 장면 녹화를 시작했다.

그러고 나니 너무 화가 나고 억울했다.

"으아아아!"

김현은 괴성을 지르면서 부엌에 있던 프라이팬으로 옷장을 후려쳤다. 퍼석 하는 소리와 함께 무쇠 프라이팬이 옷장의 나무 문짝을 찢어발겼다. 세게 힘을 준 탓에 현의 손목이 기괴한 각도로 뒤틀렸다. 그는 손목을 부여잡고 방바닥에 드러누워 울었다.

울고 또 울다가 지쳐 잠이 들었다.

○

다음 날, 아니 일주일 뒤 금요일 아침, 김현은 모닝콜을 듣고 잠에서 깼다.

"하, 하하. 하하하하하!"

김현은 침대에 누운 채로 폭발적인 웃음을 터뜨렸다. 몇 번을 겪어도 이 상황을 이해할 수가 없었다. 1분이 넘는 시간 동안 휴대폰의 알람과 그의 웃음이 기괴한 불협화음을 이루었다. 현은 일어나서 책상 위에 놓인 휴대폰의 알람을 껐다. 현의 시선이 방 전체를 훑고 지나갔다. 옷장 밑에 프라이팬이 떨어져 있었고, 벽마다 빨간 마커로 쓴 글이 남아 있었다. 포스터 따위로 가린다든지 하는 최소한의 성의조차 없었다. 현은 다시 껄껄대며 웃었다. 그는 노트북을 확인했다.

14기가바이트가 넘는 용량의 동영상이 저장되어 있었다. 현은 녹화 영상을 재생했다.

영상은 분노한 현이 옷장을 향해 폭력을 휘두르는 장면으로 시작됐다. 그날 밤 울다 지쳐 바닥에 쓰러져 잠든 현은 토요일이 시작되는 자정 무렵 이상한 행동을 보였다. 갑자기 바닥에서 벌떡 일어나더니 침대로 들어가 정자세로 누워 잠드는 것이었다.

토요일 아침 7시에 현은 일어났다. 침대에서 일

말의 주저함 없이 상체를 직각으로 일으키는 모습은 그로테스크했다. 옛 공포 영화에서 나오는 뻣뻣한 강시나 좀비의 모습을 보는 듯했다. 화면 속의 현은 그 상태로 멍청히 앉아 있었다. 한 시간, 두 시간, 세 시간…. 현은 혹시 무슨 오류라도 났나 싶어 영상의 딴 부분을 확인해 보았다. 하지만 오류가 아니었다. 현은 그저 가만히 앉아 있기만 했다.

가만히 앉아 있는 현은 두 손을 허벅지 위쪽에 살며시 올렸으며, 허리는 완전히 일자로 폈다. 약간의 거북목 증세가 있는 사람이라고는 믿을 수 없을 정도로 부드럽게 목을 편 자세였다. 보기만 해도 피로했다.

그러다 밤 11시 반이 되자 현은 갑자기 일어나 화장실로 들어갔다. 물이 떨어지는 소리, 씻는 소리가 20분 정도 흐른 후 현이 나왔다. 현은 기계 같은 동작으로 몸을 닦은 다음 냉장고에서 물을 한 잔 꺼내 마셨다. 그 뒤에는 다시 침대 안으로 들어가 정자세로 누웠다. 일요일도 마찬가지였다.

주말을 보내는 자신의 모습을 확인해 보니 무서움을 넘어 역하기까지 했다. 영상 속의 남자는 분명히 김현 그 자신이었으나, 현은 그것이 자신이라는 걸 전혀 믿을 수 없었다. 그 남자는 인간이라기보다는 정물에 훨씬 가까워 보였다. 그 삐걱대는 움직임은 인간이라기보다는 인간을 애써 모방했으나 비참히 실패한 로봇에 가까워 보였다.

이어서 평일의 자신을 바라본 김현은 더욱 미칠

듯한 기분이 들었다. 아니 이미 미쳐 있지만서도. 월요일에서부터 목요일까지 그의 모습은 너무나 똑같아서, 언뜻 비치는 창문 바깥의 풍경으로만 서로 다른 날임을 확인할 수 있었다. 그는 정확히 오전 7시 40분에 일어났고, 오전 8시까지 멍하니 있다가 물을 한 잔 마신 다음 10분 동안 옷을 입었다. 8시 15분이 되면 그는 집 밖으로 나섰다. 오후 7시 10분에 냉엄한 침묵을 깨고 돌아온 그는 오후 10시까지 침대에 정자세로 누워 있다가 20분 동안 씻었다. 그리고 오후 11시에 그 익숙한 자세로 누워 잠들었다.

현은 한 시간 가까이 영상을 보았고, 마침내 오열했다. 괴상한 인간들의 민원을 들어 주다가, 괴팍한 상사와 함께 지내다, 아무런 취미 없이 살다 정신이 으깨진 것이라고, 그는 확신했다. 현은 아침 8시 반까지 꺽꺽 울기만 했다. 눈물과 콧물이 방바닥에 줄줄 흘렀다. 오래도록 청소하지 않은 방바닥의 먼지와 머리카락들이 그의 몸에 잔뜩 묻었다.

"나만 어떻게 혼자 미쳐. 억울해서 못 그래."

김현은 그렇게 중얼거리고는 일어섰다. 내려다보니 헐렁한 파자마와 속옷만 입은 상태였다. 지금부터 서둘러 출근을 해도 늦을 것이다. 이런 상황에서도 출근 생각을 하고 있다니 어이가 없었다. 아니, 그런 현실이 나를 이렇게 만든 거라고 김현은 생각했다.

김현은 바닥에서 뒹굴고 있던 프라이팬을 들었

다. 무기고에서 비장의 검이라도 챙긴 기분이었다. 그는 한 손에 프라이팬을 들고, 몸에는 파자마를 걸친 채 집 밖으로 나섰다. 영하 10도의 공기가 그를 맞았다. 미친 듯이 추웠다. 현은 이를 닥닥닥 부딪쳤다. 차가운 바람을 맞으니 정신이 확 깨는 듯했다. 행복센터까지 스쿠터로는 30분, 걸어서는 1시간 20분. 만약 뛴다면? 현은 한번 실험해 보고 싶어졌다.

그는 파자마를 휘날리며 달렸다. 이대로 달려가서, 옷장을 박살 냈던 것처럼 장민혁 동장의 두개골을 프라이팬으로 박살 내고 싶었다. 최근 1년간 운동한 기억이 없던 그의 근육은 놀랍게도 그의 명령에 잘 협동해 달렸다. 출발한 지 50분도 안 돼서 그는 시야 안으로 들어온 근추동 행복센터를 확인했다. 800m 정도만 더 뛰면 될 것 같았다.

그때 현은 거리에 서 있는 한 여자를 보았다. 주차된 밴 옆에서 이쪽을 보고 있는 그는 민트색의 코트를 입고 있었다. 민트색이 잘 어울리는 여자…. 아, 현은 그가 윤희랑이라는 걸 알아챘다. 멈춰 선 현은 숨을 헐떡이며 말했다.

"희, 희, 희랑 선생님. 왜 나와 계세요?"

윤희랑은 한숨을 쉬었다.

"김현 씨를 기다리고 있었죠."
"나를요? 나를 왜…?"

김현은 후들후들 떨리는 두 다리를 양손으로 부여잡고, 엉거주춤한 자세로 윤희랑을 바라보았다.

윤희랑이 품에서 무언가를 꺼냈다. 김현은 난생처음 보는 그 무언가를 바라보았다. 그 무언가가 김현의 눈앞에서 작동했다.

○

의식론 연구소의 주니어 연구원 윤희랑은 정신을 잃은 김현을 수습하여 차 안에 집어넣은 다음 운전석에 앉았다. 희랑은 혹시나 자신이 실험 내용을 잘못 설명한 것이 아닌가 하고 의구심을 품었다. 그는 김현과 처음으로 한 면담의 녹음 내용을 다시 한 번 들어 보았다.

"이 장치가 작동하면 일주일에 하루만 의식이 각성할 거예요. 지금 기술로는 돌이킬 수 없어요. 삶이 1/7로 줄어드는 것이나 다름없고요."
"괜찮습니다. 어차피 평일은 죽느니만 못해요. 숨쉬는 게 고통이라니까요."
"… 알겠습니다. 힘드시겠어요."
"뭘, 다 그런걸요. 전 근추동에서 사는 걸 별로 안 좋아했는데, 이 동네 사는 덕에 이런 놀라운 기회를 얻게 돼서 기뻐요. 노동으로 자아 개발 이런 거 다 헛소리라고요. 아가씨도 마찬가지 아니에요?"

아가씨라니, 윤희랑은 살짝 인상을 찌푸리고는 녹음 파일 재생을 중단했다.

항상 하던 대로 부작용까지 정확히 설명한 것이

맞았다. 일주일 중에서 자신이 원하는 하루만을 계속 살아가게 되고, 다시는 돌이킬 수 없다고. 김현은 일주일 중 금요일에 가장 행복했던 것 같다. 그러나 주말을 앞두었다는 그 쾌락은 평일의 고난과 시련이 있기에 존재할 수 있는 것이었다.

의식이 꺼진 동안의 삶이란 없는 것이나 마찬가지다. 하지만 그런 상태를 바라는 사람도 분명히 있었다. 죽고 싶지도 않고 생활 속에 존재하고도 싶지만, 그 삶을 목도하고 싶지는 않은 사람. 일주일에 하루 이틀 정도만 깨어 있어도 충분히 잘 살 수 있다고 생각했던 김현은 그런 부류였다. 그의 인생관이 어떻든 윤희랑에게는 상관없는 일이었지만, 그가 다른 사람에게 폭력성을 보이게 된 데에는 미약하나마 양심의 가책을 느꼈다.

그러나 의식론 연구소에서 일하는 사람들은 모두 자기합리화의 귀재였다. 얼마나 삶이 팍팍하면 이런 미친 실험에 몸을 던지겠나. 썩은 동아줄이라도 내려 주는 게, 구원의 손길을 안 내미는 것보단 나아. 김현은 실험의 부작용까지 듣고도 분명히 참여에 동의했고, 측정된 일상 스트레스 지수도 엽기적인 수준이었다.

김현은 의식이 없던 지난 몇 주 동안 가장 훌륭한 업무 성과를 보였다. 그의 말대로, 차라리 아무 의식도 없는 편이 나았던 걸까?

윤희랑은 생각했다. 김현이 이대로 연구소 어딘가에 처박힌 채 산다고 해도 이전보다는 나은 삶일지도 모른다고. 적어도 연구소에는 행복한 꿈을 꿀 수 있도록 만들어 주는 기술이 있으니까. 설령 부작용이 발생해도 서로에게 나쁠 것 없는 일이지. 연구소에서는 데이터를 얻고, 현은 안식을 얻고. 나중에 이 기술이 안정적으로 완성되면 훨씬 큰 이익이 창출될 테니 인류 모두에게 좋은 일이고. 죄책감이 올라올 때마다 습관처럼 떠올리는 공리주의적 생각을 연이어 떠올리고 나니 희랑은 마음이 편해졌다.

그는 다시 익숙한 무표정을 되찾았다. 희랑은 그저 빨리 이 프로젝트가 끝나, 익숙하지 않은 공무원 역할 놀이 좀 그만했으면 하고 바랐다. 우주 개발 산업을 위해 나라가 직접 비밀리에 진행하는 프로젝트라 이 방식이 가장 안전하다지만, 참.

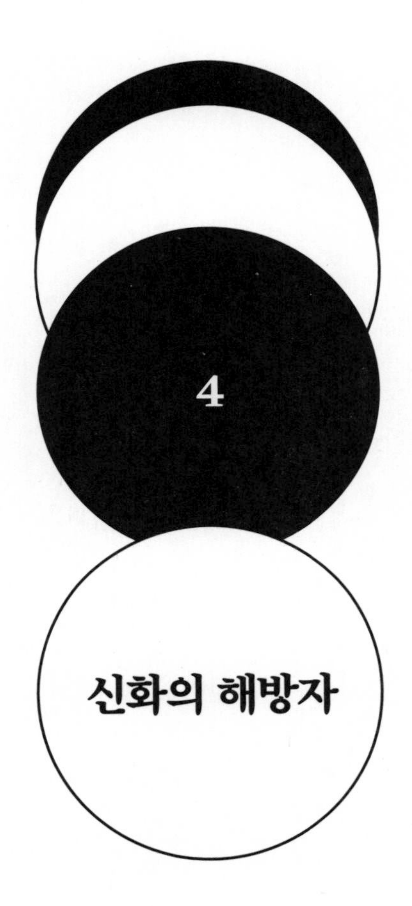

4 신화의 해방자

우리의 주인공 유소현은 91년생이야. 중학교를 다닐 때 즈음에 모 박사가 매스컴에 줄창 나오기 시작했지. 그때의 광란이라면 너도 잘 기억할 거야. 잊을 수 없는 이야기지. 논문 대신 SF 소설을 써서 상당히 유명해졌던 그 사람! 중학생이던 소현은 당시의 열풍에 그대로 노출됐어. 모 박사 위인전, 모 박사 다큐멘터리, 모 박사 인터뷰…. 신화는 몇 년 지속되지 못했지만 유소현의 무의식에는 생물학에 대한 동경이 이미 깊게 각인되었지.

바이오 붐이 곧 온다고 많이들 떠들고 다녔잖아. 우리 회사 사람들 중 30대는 그 얘기에 발목 잡힌 사람들이 많지. 유소현도 그중 하나였어. 게다가 그 사람은 원래 동물 애호가였거든. 어릴 때부터 같이 집에서 자라난 고양이와 강아지 덕분이었을 거야. 어쨌든, 그래서 생물학을 전공하기로 결심을 굳힌 거지.

사실 동물 관찰을 즐기는 취향이라면 생태학을 하는 게 더 어울렸겠지만, 고등학교 때 전공 탐색 제대로 하는 사람이 세상에 어딨겠니? 그 친구의 결심이 중요했다기보다는 떠밀린 측면이 있었던 거지. 당시 교사가 "야, 너는 동물 좋아하니까 생물학 하면 되겠다. 마침 성적도 딱 맞네." 이런 식으로 말하면, 유소현 입장에서도 그런가 싶었을 거야.

그렇게 해서 유소현은 대학에 들어갔어. 실상 대학에서 배우는 현대 생물학은 분자생물학 위주지, 동물의 생태 이런 건 별로 안 배우잖아? 그러니 당연히 재미를 붙일 리가 없었지. 어영부영 살다가 3학년 때 흥미 본위로 마법 교양 수업을 하나 들었어. 그런데 수업을 듣다 보니 유소현이 마력을 타고났다는 사실이 밝혀진 거야. 엄마 쪽 혈통에 마법사가 있었다지 뭐야.

사실 대단찮은 능력이었어. 마법부 기준에 따르면 C+등급 정도 됐지. 고작해야 손에서 군불을 피우고 남의 기분에 조금 더 예민해지는 정도? 하지만 자기 마력에 갓 눈뜬 사람한테 현실의 잣대를 들이댈 수는 없잖아. 유소현은 생물학이고 뭐고 마법학에 푹 빠졌어. 처음에는 마법학을 복수 전공하려고 했나 봐. 창조술 학파에 관심이 있었다네. 그런데 유소현의 부모는 현실적인 사람이라 부디 취업이 잘 될 만한 전공을 택하라고 딸에게 간절히 부탁한 거야.

소현은 항상 부모님 말씀을 잘 들어 온 착한 애였고, 시키는 대로 마법공학을 공부하기 시작했어. 일단 마력을 타고나긴 했으니까 전공 진입이 가능하긴 했는데, C+등급 마력으로 수업을 제대로 따라가는 건 불가능했지. 어릴 때부터 철저한 수련을 받은 애들도 있고, 지맥의 힘이 센 나라로 유학을 다녀온 애도 있고, 애초에 혈통이 너무 좋아 A+급의 재능을 가진 애들도 있었거든. 얼마 전까지 자기에게 마력이 있는 줄도 몰랐던 소현에게는 너무 벅찬 환경이었지.

유소현은 간신히 학위를 받고 졸업했어. 학점은 끔찍했고, 스펙이 될 만한 그 무엇도 없었지. 처음에는 마법관리 직렬 공무원을 준비할까 했다나 봐. 그런데 소현의 어머니가 공무원 출신이라, 자기 외동딸은 공무원을 하지 않았으면 하는 바람이 있었대. 뭐 어쩔 수 있나, 착한 소현 씨는 끝없는 취업 준비의 길에 들어섰어.

마침 4차 산업혁명 열풍으로 온갖 스타트업 관련 학원들이 우후죽순처럼 솟아나고 있었어. 왜, SNS에 그 많은 학원들 있잖아. “마케터면서 아직도 그로스 해킹을 모르신다고요?”, “4차 산업혁명 시대, 코딩은 선택이 아니라 필수입니다.” 같은 광고 문구 쓰면서 사람들 불안을 부추기는 데들 있잖아. 소현은 그 광고에 홀라당 낚여 가지고 패스트스퀘어라는 곳에서 1년간 코딩을 배웠대.

하지만 남는 건 없었어. 이유는 간단해. 모든 사람들이 코딩을 배울 필요도 없고, 그럴 수도 없는 거지. 소현은 개발자의 재능을 갖춘 사람들한테 치여서 낙동강 오리알이 된 거야. 얄팍한 마력으로 이리저리 아르바이트나 하면서 또 1년을 허비했대. 마력 자체가 희귀한 재능이니까 아르바이트 자리는 그나마 좋은 데를 구할 수 있었지만 그 이상의 일자리를 얻기는 힘들었다는 거야.

유소현은 슬슬 좌절하기 시작했대. 항상 웃었던 낯에 절망이 깃들었고, 혼자 술을 마시는 날도 많아졌지. 술에 거하게 취하면 가까운 사람들한테 전화해서 우는 나쁜 버릇 때문에 친구들도 조금씩 떠나갔어. 사실 객관적으로 봐도 답이 없긴 했지.

근데 그 무렵에 우리 회사, 자랑스러운 셀트린이 이스켄데룬과 협상하는 데 성공한 거야. 도대체 회사에서 어떤 마법을 썼길래 관악산에 수백 년간 잠들어 있던 마법의 용이랑 거래를 할 수 있었는지는 아무도 몰라. 하지만 셀트린이 뭘 받았는지는 잘 알려져 있지. 그 어떤 용의 조직으로든 분화시킬 수 있는 용아세포. 맞아. 한국이 용 비늘이나 용의 힘줄 따위를 팔아먹는, 신소재공학 분야의 일약 최대 강국이 된 결정적 계기였지.

갑자기 어마어마한 물건을 쥐게 된 셀트린에서는 대대적으로 인력을 채용하기 시작했어. 셀트린은 기본적으로 바이오 기업이야. 원래는 바이오시밀러나 항체를 팔아먹던 회사였지. 그런데 용아세포는 현대 생물학으로 다룰 수 있는 물건이 아니야. 마법에 대한 이해가 필요하지. 그래서 새로운 공채 공지에는 그동안 이 회사가 한 번도 내걸지 않았던 조건이 실리게 됐어. 마법공학, 생물학 복수 전공자 우대.

당시 그 두 가지 전공을 동시에 공부한 사람은 정말 극히 드물었다고 해. 하긴 굳이 고된 복수 전공을 할 거면 취업 잘 되는 전공을 택하지, 미쳤다고 그런 분야를 고르겠어. 그런데 유소현이 바로 그 돌아 버린 5차 산업혁명 인재였던 거야. 유소현은 졸업 후 2년 만에 취업하게 됐어. 누구나 이름만 들으면 아는 대기업 셀트린에. 그야말로 인생 역전이었지.

소현이 일하게 된 곳은 관악산으로 둘러싸인 셀트린의 연구소였어. 사실 그곳은 연구소라기보다는 공장에 가까운 곳이었지. 용아세포를 원하는 조직으로 분화시켜 그 세포나 조직을 채취하는 곳이었거든.

어떻게 보면 공장 같은 도축장이기도 했어. 지금이야 분화한 조직세포를 배양액에서 기르는 기술이 발달했지만, 당시에는 셀트린도 아는 게 하나도 없었거든. 당장 용아세포를 조직세포로 분화시키고 나서 이걸 성장시키는 방법을 잘 몰랐던 거야. 당장 용 비늘을 뽑아내고 싶었던 셀트린에서는 나름대로 검증된 방법을 썼지.

너도 조금 아는구나. 쥐를 이용했어. 쥐의 등짝에다가 용의 조직을 이식해서 키운 거야. 생후 2개월 된 실험 쥐에게 이식하고 나서 한 6개월 정도 기다리면 충분히 상품성을 지닌 조직을 채취할 수 있었어. 소현이 일한 연구소 한쪽에서는 끝없이 실험 쥐에게 세포를 이식했고, 한쪽에서는 그 쥐를 끝없이 잡아 죽였지.

소현이 한 일은 자라고 있는 쥐들을 검사하는 거였어. 모든 쥐들이 성공적으로 자라진 않았거든. 용의 세포는 그 자체로 강력한 마력을 띠고 있어. 그 때문에 쥐가 제대로 성장하지 못하기도 하고, 용의 조직이 괴사하는 일도 일어나지. 또 용아세포가 제대로 분화되지 못하고 암이 되어 버리는 경우도 있어. 소현은 쥐들이 등짝에 이고 있는 조직이 잘 자랐는지 주기적으로 검사한 다음 충분히 자란 쥐들을 선별했어. 죽일 쥐를 고르는 거였지.

그 일은 오직 사람만이 할 수 있었어. 죽은 용의 조직과 살아 있는 용의 조직은 둘 다 마력을 띠긴 하지만, 살아 있는 용의 조직이 훨씬 더 능동적으로 마력을 흡수하거든. 사실 너도 나도 마력이 없으니까 모호하게 설명할 수밖에 없지만, 마력을 가지고 있는 사람들이라면 맛의 차이처럼 직관적으로 느낄 수 있다고 해.

소현이 동물을 좋아한다는 얘기는 했지. 이건 소현에겐 정말 감당하기 힘든 일이었어. 동료들의 증언에 따르면 입사한 직후부터 많이 힘들어했다는군. 소현도 대학에서 실험용 동물을 직접 죽이기도 했다나 봐. 그런데 아무래도 매일 같이 수십 마리씩 죽여야 한다는 점에서 짊어지는 무게가 달랐던 거지.

게다가 죽이는 방법도 단순하지 않았거든. 살아 있는 용의 조직을 뜯어낸 다음 쥐를 안락사시키는 게 원칙이었는데, 사실 조직을 뜯어낸 순간 쥐도 쇼크사하는 게 일반적이었어. 성장에 실패한 쥐들은 그나마 곱게 보내 줄 수 있었지만, 어쨌든 시체들을 냉동실에 보관해 뒀다가 한꺼번에 태워 버린다는 점에서 마음이 편치 않기는 마찬가지였지.

그렇지만 6개월 정도 지나면서 소현도 많이 익숙해졌나 봐. 소현은 취준생 노릇을 2년 해 봤기 때문에 실업자로 살아가는 게 얼마나 비참한지 잘 알고 있었어. 그리고 취업 시장은 여전히 황량했지. 때마침 셀트린에서 소현의 스펙을 원했으니 운 좋게 취업하긴 했지만, 셀트린과 같은 사업을 하는 회사는 전 세계를 통틀어 봐도 미국의 파이자 하나뿐이야. 용아세포를 가지고 있는 회사는 그 둘뿐이잖아? 그러니 다른 어딘가에 다시 취직할 수 있다는 희망이 없었던 거야.

막다른 곳에 몰렸던 소현은 윤리 규정 덕분에 많이 진정한 것 같아. 왜, 실험 동물들을 다루는 데 대한 여러 윤리적인 규칙들이 있잖아. 필요 없는 고통을 주면 안 되고, 가능한 희생을 최소한으로 해야 하고. 사실 그런 규정이 쥐들에게 무슨 의미가 있겠니? 어차피 죽는 건 매한가진데 말이야. 사람들이 자기를 윤리적으로 대하려고 노력하는 걸 알기나 하겠어? 그러니까, 그건 결국 전부 실험자를 위한 규정이야. 실험자가 스스로 규칙을 지키고 있다고 생각하면 정신이 한결 편해지거든.

소현의 성과는 날이 갈수록 훌륭해졌어. 그동안 셀트린의 다른 연구소에서는 쥐를 이용한다는 과도기적인 모델을 버리고 배양액에서 용의 조직만

따로 성장시키는 연구를 하고 있었고. 모든 것이 아무 문제가 없어 보였지.

유소현의 가방에서 용순이가 튀어나오기 전까지 말이야.

기숙사에 있는 자신의 방으로 돌아온 소현은 백팩을 끌렀다가 깜짝 놀랐어. 연구소에서나 보던 쥐가 들어 있었던 거야. 아니, 그걸 쥐라고 할 수 있을까? 그건 실루엣 빼고는 실험에 쓰는 작고 귀여운 흰쥐랑 닮은 구석이 하나도 없었어. 전신이 보라색 비늘로 촘촘히 덮여 있었거든. 게다가 비늘 조각 하나하나가 덩치에 비해 너무 커다래서 어른의 옷을 입은 어린아이를 보는 것 같았어. 보라색 비늘 사이로 흰쥐의 새빨간 눈이 보였지.

소현은 쥐를 손에 잡자마자 그 비늘이 용 비늘이라는 걸 알았어. 방출되는 마력이 너무 강력해서 화끈하게 느껴질 정도였거든. 사실 강한 마력은 열기랑은 좀 다른 느낌이라고 마법사들은 말하는데… 우리가 어찌 그들을 이해하겠니. 아무튼 소현은 곧바로 쥐를 놓치고 말았어. 그때 놀라운 일이 일어났지. 쥐가 번쩍거리면서 방의 다른 곳에 나타난 거야. 방금 전까지 쥐가 있던 소현의 손 위에는 묵직한 보라색 안개만 남아 있을 뿐이었어.

그건 전이학파 마법이었어. 쥐가 순간 이동을 한 거야. 마법학에서 전이학파의 마법은 어렵기도 하고 큰 마력이 필요하기로 정평이 나 있지. 그도 그럴 것이 공간을 뒤틀고 중력을 다뤄야 하니까. 아주 가끔 마법적 재능을 가진 동물이 나타나기도 한다지만, 스스로 전이술을 터득하는 쥐라니? 소현으로서는 듣도 보도 못한 일이었지.

맞아. 그런 동물은 자연적으로 발생할 수가 없어. 사실 그건, 셀트린이 사용한 쥐의 유전자가 조작되어 있었기 때문에 생긴 일이야. 용의 조직이 뿜는 힘은 너무 강력해서 조직 자체를 이식하면 보통의 실험용 쥐는 잘 견디지 못했어. 셀트린에서는 용 DNA의 많은 부분을 쥐의 DNA에 이식하는 방법을 택했어. 물론 용의 DNA가 모조리 발현하면 끔찍한 일이 일어날 수 있었기 때문에, 그 발현을 세심하게 조절하는 유전자도 집어넣었지.

그런데 유소현의 가방에 있던 그 쥐한테는 문제가 생겼던 모양이야. 용 DNA의 발현을 조절하는 유전자에 돌연변이가 생겼던 것 같아. 사실 그 쥐는 이미 쥐보다는 아르마딜로 같은 모습이었어. 온몸의 조직이 용의 조직으로 변하고 있었거든. 아마 연구소 어딘가에 숨어 있다가 소현의 가방 속으로 순간 이동해 들어가지 않았나 싶기도 해. 누가 자기를 잘 보살필 사람인지를 알아보았던 걸까?

소현은 당황했지만 곧 진정했어. 오랜만에 살아 움직이는 생물을 보니까 즐거웠던 거지. 기숙사에서 혼자 생활하기란 외로운 일이었거든. 마침 어릴 때 같이 자랐던 강아지랑 고양이 생각도 나고 말이야. 흔히들 쥐라는 동물이 징그럽고 더럽다는 선입견을 갖고 있지만, 사실 하는 짓이 상당히 귀엽거든. 깨끗하기도 하고. 소현은 기숙사에서 몰래 그 쥐를 기르기 시작했어. 이름은 용순이라고 지었고.

몇 주 동안 유소현은 용순이와 즐거운 나날을 보냈어. 용순이는 빠르게 자랐지. 일반적인 쥐들보다 훨씬 크게 자랐어. 몇 주가 더 지나자 용순이는 이미 쥐라고 볼 수 없는 크기가 됐고, 소형견에 견줄 만했지. 쥐의 특성은 점차 사라져 가고 용의 특성이 나타나기 시작했어. 길고 가느다랗던 꼬리는 점점 짧고 통통해졌고, 등 뒤쪽에 뭔가 작은 혹 같은 것이 자랐지. 마법 에너지도 조금씩 강해졌어.

소현은 회사 사람들 앞에선 용순이를 키우고 있다는 티를 절대 내지 않았어. 매일 견과류를 사 들고 기숙사로 들어갔고, 용순이의 모든 배설물들은 마법으로 태웠지. 소현이 손에서 군불 정도는 피울 수 있다고 말했지? 용순이의 마력에 계속 노출되다 보니까 유소현의 마력도 조금씩 늘어나고 있었어. 유소현은 어느샌가 용순이가 만드는 흔적을 모두 능숙하게 지울 수 있을 정도의 마법을 운용하게 되었어.

유소현은 알고 있었어. 더 이상 용순이를 방 안에 둘 수 없게 되는 날이 올 거라는 사실을 말이야. 소형견 크기가 된 용순이에게 방 안은 이미 좁았어. 언젠가 또 전이술을 써서 탈출해 버릴지도 몰랐어. 만약 탈출을 했다가 들키면 다시 연구소행이지. 그만큼 큰 돌연변이 쥐, 키메라는 지금까지 발견된 적이 없었기 때문에 셀트린에서 온갖 실험을 행할 게 뻔했어.

불안해진 소현은 용순이를 방사할 만한 곳을 찾아다녔지. 일단 방사만 하면 용순이가 자연에 잘 적응할 수 있을 것 같았어. 애초에 용 비늘로 덮인 용순이는 용 빼고는 누구도 상처 입힐 수 없는 생물이었어. 용의 몸은 용의 몸으로만 상처 입힐 수 있잖아. 다행히도 연구소가 관악산에 접해 있으니, 백팩에 넣어서 산 중턱까지만 데리고 가면 괜찮을 것 같았지. 일주일 동안 소현은 연구소 근방을 돌아다니면서 적당한 위치를 물색했어.

소현이 용순이를 놓아 줄 위치를 정하고 마음의 준비를 하던 때에 생각지도 못한 문제가 생겼어. 미국의 파이자에서 셀트린으로 파견한 산업스파이의 정체가 들통난 거야. A-급의 마력을 가진 특급 인재라 아주 융숭한 대우를 받던 사람이었는데, 알고 보니 보라색 용의 용아세포를 반출하려고 셀트린에 숨어든 거였지. 알다시피 파이자는 붉은 용의 용아세포를 가지고 있고, 셀트린은 보라색 용의 용아세포를 가지고 있잖아. 큰일 날 뻔한 거지.

그날 이후 셀트린은 연구소의 보안 규정을 상당히 빡빡하게 고쳤어. 당시로서는 최첨단 기술의 결정체였던 마력 감지기를 각 건물의 출입구마다 설치했지. 감지기라 해 봐야 아주 강력한 마력만 간신히 감지하는 정도였지만, 용의 세포에서 뿜어져 나오는 마력은 마법사 혈통을 타고나지 못한 사람도 알아차릴 수 있을 정도로 강력하니까. 연구소 옆에 있는 기숙사에도 마찬가지로 감지기가 설치됐어.

유소현은 관악산에 용순이를 내보낼 기회를 도

저히 잡을 수가 없었어. 가방에 넣고 입구를 통과하는 순간 곧장 마력 감지기에 걸리는 거잖아. 회사의 온갖 규정에 걸리는 건 물론이고, 직업을 유지하고 말고를 떠나서 당장 교도소에 들어갈 수도 있는 거야. 산업스파이라는 누명을 쓰고 말이야. 간신히 취업해서 도살 보조에 어느 정도 적응한 유소현 입장에서는 돌아 버릴 노릇이었지. 엎친 데 덮친 격으로 용순이의 성장은 멈출 줄을 몰랐어. 처음에는 아몬드 수십 알 정도면 만족하더니 이제 수백 알을 요구하게 된 거지.

이게 무슨 시련인가 싶은 거야, 정말로. 유소현은 그저 다른 사람이 하라는 대로 따랐을 뿐이거든. 교사가 시키는 대로 생물학 택해서 대학 갔고, 대학 가서는 부모가 부탁한 대로 마법공학을 전공했지. 그 전공으로는 취직이 잘 안되니까 많이들 권하는 대로 코딩 배웠고, 코딩으로도 일이 잘 풀리지 않던 차에 다행히 운이 좋아 셀트린에 들어왔어. 셀트린에서도 하라는 대로 하고 간신히 적응했는데 자기도 모르게 가방에 들어온 쥐 때문에 이 꼴이 난 거야.

하지만 유소현은 용순이를 미워하지 않았어. 집으로 돌아오면 용순이가 소현을 반갑게 맞아 줬거든. 사실 보통 사람들이 보기에는 아무리 관찰해도 귀여운 점을 찾기는 도저히 어려운 모습이었지. 그래도 키우는 사람의 눈에는 마냥 예쁘기만 한 거야. 용순이는 창조술도 너무 당연하게 사용했는데, 그 무렵부터 마법의 화염으로 자기 배설물을 알아서 처리했대. 그런 모습을 보면 마음 한구석이 묵직하게 불안하면서도 기분이 좋은 거지.

용순이가 자랄수록 등에 나 있던 혹은 조금씩 날개의 모양을 띠기 시작했대. 그런데 그 날개는 통 펼쳐지질 않았어. 이상한 점막 같은 것이 단단히 날개를 감싼 채로 같이 자랐거든. 용순이가 날개를 펼치려고 해도 그 점막이 도저히 뜯기지를 않는 거야.

유소현은 마법공학과에서 배운 신화 생물의 생태를 떠올렸어. 날개의 점막이야말로 용의 유전자가 얼마나 많이 발현되었는지 보여 주는 상징이었지. 원래 용 날개의 점막은 어미 용이 직접 찢어 주는 거거든. 그래야 새끼 용이 날 수 있게 돼. 하지만 용순이에게는 어미가 없었지.

소현은 이렇다 할 대책 없이 시간을 보냈어. 눈에 띄게 불안해하고 손톱을 깨물곤 해서 사람들이 무슨 일 있냐고 물어보기도 했어. 그때 유소현은, 요즘 갑자기 마력이 너무 강해져서 심장이 쿵쿵 뛰고 마음이 불안정하다고 둘러댔어. 사람들은 그 말을 믿었어. 근처에 있다면 바로 눈치챌 만큼 유소현이 방출하는 마력이 강해졌거든. 잘 쳐 줘야 C+등급이었던 마력이 이제 A등급에 올라설까 말까 하는 수준까지 이르렀어.

그러던 와중에 내사팀의 최고운 대리가 기숙사를 불시에 점검하기 시작했어. 셀트린 임원들은 파이자한테 털릴 뻔한 걸 도저히 참을 수가 없었나 봐. 직원들의 개인적 공간을 본인 허락도 없이 뒤진다니 이건 있을 수가 없는 일이지. 당시 셀트린은 용 비늘 팔이로 갑자기 확 떠올라서 한국 경제를 혼자 끌어올리다시피 했기 때문에 사회적 입지가 상당히 탄탄했거든. 그래서 그런 초법적인 짓도 할 수 있었던 거지. '잘못을 좀 하더라도 어쩔 수 없지. 나라 경제를 살리는데….' 하고 옹호해 줄 시민들이 많았을 테니까.

일을 마치고 기숙사로 돌아가던 유소현은 사람들의 방이 털렸다는 소식을 듣고 경악했어. 모든 게 끝났다 싶었지. 황급히 달려가 보니 아직 유소현의 방은 멀쩡한 채였어.

최고운은 마력이 강한 사람들의 방부터 뒤졌거든. 마력이 강하다면 그 힘으로 방 안에 뭔가 숨겨 놓을 수도 있고, 아무래도 무슨 꿍꿍이든 품고 있을 확률이 높잖아? 만약 소현이 셀트린에 입사할 때부터 강한 마력을 가지고 있었다면 그때 끝장났을 거야. 그런데 서류상으로 유소현은 여전히 C+급이었거든. 덕분에 유소현의 방 탐색은 거의 마지막 순서로 예정되어 있었어.

밤 9시 쯤에 최고운이 유소현 방의 문을 두드렸어. 유소현은 등 뒤로 식은땀을 삘삘 흘리면서, 그러나 얼굴에는 전략적인 미소를 가득 띄운 채로 최고운을 맞았어. "아, 안녕하세요. 여긴 어쩐 일로?" 최고운은 아침저녁마다 액체질소로 세면을 하는지 어마어마하게 차가운 얼굴이었어.

최고운은 별다른 답을 하지 않고 곧장 방 안으로 들어왔어. 옷장을 열어 안쪽을 뒤져 보기도 하고,

용순이가 먹던 아몬드가 남아 있는 접시를 노려보기도 했지. 유소현은 하하 웃고는 그 아몬드를 씹어 먹으며 말했어. “이거 제가 마법으로 구워 먹는데 맛있거든요. 좀 드릴까요?” 최고운의 답은 냉정했어. “기숙사 안에서 취사는 금지일 텐데, 모르십니까?” 유소현은 당장이라도 울고 싶었지.

최고운은 유소현의 방을 금세 다 돌았어. 마력이 거의 감지되지 않았기 때문에 독하게 뒤져 볼 필요도 없었어. 옆에서 멍청하게 웃는 유소현이라는 여자는 C+급다운 얄팍한 마력을 내뿜고 있었지. 최고운은 A+급 마력을 가진 특급 인재였거든. 괜히 내사팀에서 일하는 게 아니었지. 이 방에는 딱히 볼 게 없었어. 최고운은 “여기서 취사하시면 안 돼요.”라고 한 마디 남기고 그곳을 떠났어.

유소현은 최고운이 나가자마자 한숨을 푹 쉬면서 바닥에 주저앉았어. 그의 상의에서 용순이가 튀어나왔지. 그날따라 좀 박시한 옷을 입었던 게 다행이었달까? 더욱 다행스러웠던 점은 용순이의 마력을 그가 숨길 수 있었다는 거였어. 유소현은 정말 필사적으로 상의에 힘을 집중했고, 용순이가 자연스럽게 내뿜는 무시무시한 힘을 숨길 수 있었던 거야. 우리는 마법을 쓰는 일이 얼마나 힘든지 결코 알 수 없겠지만, 유소현은 당시에 마라톤이라도 뛴 듯한 느낌이었다는군.

그 경험은 소현에게 있어 자신감을 고취하는 경험이었어. C급이라는 딱지를 달고 살아온 소현이 자신의 성장을 분명히 알아내는 계기가 되었거든.

한편 소현은 알고 있었어. 아직 용순이가 완전히 크지 않았기 때문에 그런 묘기라도 부릴 수 있었던 것이고, 몇 달이 채 지나지 않아 유전적 금수저 용순이는 잠시도 숨길 수 없는 어마어마한 힘을 발산할 거라는 걸. 소현은 그날 맥주를 마시고, 용순이를 껴안고 울다가 잠들었대.

유소현이 결심을 다지는 데는 2주의 시간이 더 필요했어. 그즈음의 용순이는 비만 고양이 같은 크기가 되어 있었지. 점막으로 둘러싸인 날개도 꽤 많이 성장해 있었어. 원래 용은 빨리 자라지 않는데, 어떻게 그렇게 빨리 자란 것일까? 용순이는 쥐의 성장 인자도 가지고 있었던 거야. 용과 쥐의 강점만 골라서 지닌 무시무시한 키메라였던 거지.

그쯤 되면 슬슬 다른 사람에 대한 걱정도 할 수밖에 없었어. 지금은 이스켄데룬과 아이발리크라는 용이 인간과 상생하지만, 용은 수천 년간 인간을 지배한 신화적 야수야. 그리고 쥐는 꾸준히 인간의 먹을거리를 갈취하고 페스트까지 전해 준 원수지. 용순이가 해방되면 과연 사람들을 해치지 않을까?

결국 소현이 해결해야 하는 문제였어.

다짐을 끝낸 소현은 대범하게 출근했고, 점심시간에 편의점에서 캐슈너트를 잔뜩 샀어. 용순이가 제일 좋아하는 견과류였지. 회사 동료들에게는 웃으면서 오늘은 잔업을 해야겠다고 말했어. 주변 사람들은 "요즘 정말 힘들긴 힘든가 보다, 살다 살다 네가 자진해서 야근하는 걸 다 보네."라는 짤막한 평가를 남겼지.

밤 11시까지 일하면서 소현은 연구실 내부를 꾸준히 관찰했어. 아마도 대학원에서 구르다 그런 독한 병에 걸렸지 싶은, 굳이 일을 찾아서 밤새도록 해내는 사람들만 몇 명 남았지. 소현은 공허한 목소리로 말했어. “저 그럼 냉장고 정리 좀 하고 가 볼게요.” 별다른 답은 돌아오지 않았어. 소현은 연구실 한 벽면을 거의 전부 차지하고 있는 냉장고로 천천히 걸어갔어.

냉장고에는 커다랗게 생물 재해 표식이 붙어 있었지만, 연구소 사람들은 그런 표지는 개뿔 신경도 쓰지 않게 된 지 오래였어. 연구실에서 딱히 위험한 병원체를 다루는 건 아니었으니까. 덕분에 냉장고 안은 항상 개판이었지. 셀트린은 보안 규정에는 철저했지만 연구소 내의 그런 허술함에 대해서는 비교적 관대했어. 어차피 쥐를 검사하는 것 외에 다른 일은 별로 없는 곳이라서.

소현은 냉장실을 열었어. 그 안에는 언제 쑤셔 박았는지 짐작도 가지 않는 샘플과 시약들이 가득했지. 소현은 그 샘플들을 정리하는 척하면서 냉동실 문을 열었어.

맞아, 처분된 쥐의 시체들이 냉동실에 쌓여 있다고 했지. 용의 조직이 뜯겨 나간 쥐들도 있었고, 도중에 검사에서 탈락해 처분된 쥐들도 많았어. 소현은 테라토마가 자라나 있는 쥐를 보고 인상을 찌푸렸어. 용아세포가 제대로 통제되지 않아 근육과 내

장과 신경과 혈관 등 모든 조직으로 무질서하게 자라난 기형종을 등에 지고 있었던 거야. 아예 조직을 발달시키지 못한 쥐도 있었고, 등쪽이 커다랗게 썩은 쥐도 있었지. 소현은 그 꼴을 보면서 용순이를 생각하지 않을 수가 없었어.

고개를 절레절레 흔든 소현은 냉동실 안에 손을 넣었어. 딱딱하게 얼어붙은 시체들이 잡혔어. 소현은 마력이 잔존해 있는 것들만 골라 닥치는 대로 품에 숨겼어.

용의 조직이 남아 있는 쥐의 사체들을 잔뜩 품에 넣은 소현은 냉동고를 닫았어. 그다음 어색함을 감추려다 더 어색해진 모습으로 실험실 밖을 향해 천천히 걸어 나왔지. 용의 조직은 살아 있으나 죽어 있으나 마력을 뿜어. 용은 죽어서도 용인 거야. 하지만 죽은 조직의 마력이 약하긴 하니까, 그 정도라면 충분히 숨길 수 있을 거라고 소현은 확신했어. 살아 있는 용순이의 마력을 숨긴 적도 있었는걸. 사실, 그때보다 훨씬 더 많은 힘이 들었어. A급 마력으로도! 아마 사체가 많아서 그런 모양이라고 소현은 생각했지. 다행히도 마력 감지기에는 걸리지 않았어.

기숙사로 돌아오자 용순이가 소현을 반겼어. 그 모습을 보니 소현은 열 살 때까지 키우던 강아지가 떠올랐어. 하지만 감상에 빠져 있을 때가 아니었어. 소현은 용순이에게 캐슈너트를 던져 주고는 다급히 화장실 안으로 들어갔어.

화장실 문을 잠근 소현은 세면대에 쥐들의 사체를 쏟아부었어. 꽁꽁 언 쥐들이 우두두 소리를 내며 떨어졌어. 소현은 쥐의 등을 하나씩 확인해 보았어. 상품성 없는 핏줄 다발이 자라난 쥐, 췌장 조직이 자라난 쥐, 뇌 조직이 자라난 쥐(이 쥐는 그 뇌로 생각을 했을까?)…. 마지막 한 마리의 등짝에 소현이 원하는 것이 있었어. 뾰족한 이빨.

소현은 용의 이빨을 등에 진 쥐의 시체를 왼손에 들었어. 용의 조직이 발하는 마력에 손이 저릿해지는 것을 참으면서 힘을 한가득 모았지. 소현의 양손이 보라색으로 빛났어. 소현은 오른손으로 쥐의 등 뒤에 달린 이빨을 단단히 붙잡고 잡아당겼지. 뚝, 뚝, 뚜두둑. 냉동한 고기를 뜯어내는 느낌이라면 비슷할까. 끔찍한 소리가 화장실 안을 울렸어. 뿍 하는 소리와 함께 용의 이빨이 쥐의 몸과 분리됐어. 소현은 용의 이빨을 살펴보았어. 인간이 용과 전투를 벌이던 옛날에는 수많은 용사들이 꿈꿨을 무기였어. 용의 몸은 용의 몸으로만 해할 수 있으니까.

어떻게 소현은 그렇게 대담한 일을 할 수 있었을까? 항상 다른 사람이 시키는 대로 고분고분 따라 살았던 사람이. 어쩌면 시키는 대로 고분고분 따라왔기 때문에 그런 일을 할 수 있었을지도 몰라. 소현은 어떻게든 셀트린에 붙어 있고 싶었어. 사회에서 어떻게든 살아남아야 하고 다른 사람들을 실망시키지 않아야 한다는 생각 때문에, 규칙 따위는 아무렇지도 않게 무시할 수 있었던 거겠지. 확실하진 않아. 나는 유소현이 아니니까.

소현은 화장실에서 나왔어. 용순이는 캐슈너트에 완전히 정신이 팔려 있었어. 소현은 뒤쪽으로 다가가 용순이를 빈 손으로 살포시 끌어안았고, 용순이가 몸을 움찔거렸지. 소현이 쥔 이빨이 번뜩였어. 소현은 숨을 가다듬었어. 하지만 부들부들 떨리는 손은 도저히 진정이 되지 않았어. 당연한 일이지. 정이 들었던 거야. 본능적인 거부감이 해일처럼 소현의 마음속을 뒤덮었어.

"으." 하는 신음소리가 소현의 입에서 새어 나왔어. 용순이가 고개를 돌렸어. 용순이는 소현의 손에 들린 이빨을 보고 자기 날개를 바라보았어. 날 수 있게 점막을 찢어 달라는 표현이었던 거야. 소현은 그 모습을 보자마자 더 이상 참을 수 없게 됐어. 소현은 전력을 다해 용순이의 등에 이빨을 박아 넣었어. 마력의 폭풍이 불었어.

소현은 얼마간 정신을 차리지 못했어. 겨우 눈을 뜨니 용순이의 작은 몸이 끝없이 점멸하고 있는 것을 볼 수 있었어. 용순이는 이곳저곳에서 나타났지. 등의 상처에서는 진득한 보랏빛 안개 같은 마력의 파장이 줄줄 흘러나오고 있었어. 가공할 만한 힘이었어. 마법을 전혀 쓰지 못하는 사람이어도 그 자리에 있었다면 어마어마한 마력을 체감할 수 있었을 거야.

곧 용순이가 방 안에서 사라졌어. 전이술을 써서 방 밖으로 나가 버린 거야. 소현은 "용순아, 용순아?" 하고 부르면서 창문을 향해 걸어갔지. 하지만 답은 돌아오지 않았어. 소현은 창문을 열었어. 소현의 방은 3층에 있었는데, 저 아래 기숙사 입구에서 찬란한 보랏빛으로 점멸하는 용순이가 또렷하게 보였어. 용과 쥐의 키메라는 더 이상 숨길 수 없는 막대한 마력의 파동을 뿜어내고 있었고, 기숙사에 있던 모든 직원들은 그 힘을 직감했지.

당장의 상황을 도저히 받아들일 수 없었던 소현은 주저앉았어. 도대체 무엇을 해야 할지 알 수 없었어. 바깥은 벌써 놀란 사람들의 말소리로 시끄러웠지.

그때 비명 소리가 들려왔어. 소현은 창밖을 바라보았어. 불쌍한 당직 경비원 한 명이 용순이를 잡으려다가 마력으로 한 대 얻어맞고 쓰러진 거였어. 그 꼴을 보니 소현의 마음속에 책임감이 불타올랐지. 소현은 죄 짓지 않고 살아온 건실한 사람이었어. 다른 사람들에게 해를 끼치면 안 된다는 분명한 도덕률에 따라 행동해 왔지. 소현은 어떻게든 용순이와 끝을 봐야 한다고 생각했어.

소현은 방바닥에 놓인 용의 이빨을 들고 부들부들 떨면서 밖으로 뛰쳐나갔어. 대문을 열고 나니 용순이가 바로 보였지. 찬란히 뿜는 빛 때문에 덩치가 훨씬 더 커 보였어. 신화 시대부터 세계를 호령하던 존재라는 표현이 곧바로 실감 났지. 당시 그 현장의 목격자들은 하나같이 이렇게 말했다고 해. 저렇게 작은 용만 봐도 온몸이 움츠러드는데, 성체가 된 용을 잡았다는 인간 영웅의 전설은 모두 개소리라고.

아무튼 용순이가 몸을 돌렸고, 소현과 눈이 마주

쳤어. 소현은 도저히 진정할 수 없었지. 이대로 죽는 걸까 하는 생각 때문에 무서워 미칠 것 같았어. 용순이가 천천히 소현에게 걸어왔어. 이제 나를 향해 불을 질러 바싹 튀겨 버리는 걸까? 온갖 끔찍한 생각이 머릿속을 휘저었고, 몸이 굳어서 꼼짝도 할 수 없었어.

소현이 자신의 묘비명에 대해 생각하고 있을 때 갑자기 익숙한 목소리가 들렸어.

"멈춰라!"

소현은 소리가 들려온 곳으로 고개를 돌렸어. 내 사팀의 최고운 대리가 용순이와 같은 색으로 빛나고 있었어. A+급의 마력을 가진 사람만이 뿜어낼 수 있는 막강한 힘이 빛의 형태로 드러난 거야. 최고운 조상 중에 인간으로 둔갑한 신화 생물이 있다는데 정말일지도 몰라. 그때 기숙사 사람들은 인생에 한 번 보기도 힘든 광경을 연속해서 보고 있었던 거지.

최고운은 용순이에게로 천천히 다가갔어. 분명히 적의를 품고 있었지. 용순이도 알고 있었던 거 같아. 둘의 거리가 가까워졌고, 두 힘이 맞부딪쳤어. 그 반동만으로도 당시 기숙사에 있던 모든 사람들은 세상이 뒤집히는 듯한 현기증을 느꼈지.

아무리 귀한 혈통에서 태어났다 해도 인간의 힘에는 한계가 있다는 것이 곧장 드러났어.

최고운을 순식간에 제압한 용순이는 다시 소현에게로 다가왔어. 소현은 현기증 때문에 주저앉은 채였어. 소현은 그저 땀을 삐질삐질 흘릴 뿐이었지. 천천히 소현에게 다가온 용순이는…

유소현의 발등에 머리를 올렸어. 소현은 멍청한 눈길로 용순이를 내려다볼 수밖에 없었어. 용순이는 전혀 공격할 의사가 없어 보였지만, 소현은 용순이 등의 상처에서 흘러나오는 마력만으로도 아찔한 기분을 느꼈지. 용순이는 소현이 방금 떨어뜨린 용의 이빨로 시선을 돌렸어. 그걸로 방금 전에 자신을 공격했다는 점은 개의치 않는 것 같았어. 용순이는 소현에게 날개를 들이댔어.

소현은 "나, 나를 믿어?"라고 말했어. 용순이는 누가 봐도 적의가 없는 모습이었어. 유소현은 이빨을 집어 들었어. 그때 가까이에 있던 최고운의 목소리가 들렸어. "유소현 씨…, 멈춰요! 회사가 결코 당신을 용서하지 않을 겁니다! 그것은 회사 자산입니다!" 소현의 손이 덜덜 떨렸어.

그때 유소현은 깨달았어. 왜 이제야 알았을까? 왜 자신의 힘만으로 용순이의 마력을 가볍게 숨길 수 있다고 생각했을까? 연구소에서 죽은 조직들을 숨겨서 가지고 나올 때도 힘을 숨기기 힘들었는데. 아무리 몇 주 전이었다지만, 최고운 같은 특급 마법사도 상대할 수 없는 이런 존재를.

맞아. 소현이 생각하던 바를 용순이도 알고 있었던 거야. 용 유전자의 발현은 마력과 신체 모두에 커다란 영향을 미쳤어. 뇌라고 아무런 영향도 받지 않았을까? 천만에, 용순이는 이미 신화에 나오는 용들과 다를 바 없는 존재였어. 용순이는 소현을 도왔던 거야. 최고운이 들이닥쳤을 때 소현은 용순이의 힘을 자기가 숨겼다고 생각했지. 실제로는 용순이가 스스로 마력을 감췄어. 소현의 가방 안에 아무도 모르게 들어갈 수 있는 순간 이동 능력이 있는데 왜 그동안 방 밖으로 나가지 않았을까? 그야, 나가면 소현이 몹시 곤란해진다는 것을 알고 있었으니까.

소현은 덜덜 떨며 이를 딱딱 부딪쳤어. 용순이를 도와줄 수 있는 방법은 단 하나뿐이었지. 오직 용의 신체 일부를 가진 자만이 할 수 있는 일. 소현은 용의 이빨을 들었어. 충분히 기운을 되찾은 최고운이 이런저런 규정을 외치면서 소현을 협박했지만 공허한 외침이었어.

유소현은 팔을 크게 휘둘러 용순이의 날개를 둘러싼 점막을 찢으면서 생각했어. 인생에서 처음으로 무언가를 자기가 원한 대로 하고 있다고.

종이 봉투를 커터 칼로 찢어 내는 것보다 쉽게 점막이 뜯겼어. 용순이는 날개를 펼쳤어. 용순이의 몸이 단번에 두 배는 커진 것 같았어. 용순이의 비행에 날개를 퍼덕이는 동작은 필요없었어. 용의 비행은 마법으로 이루어지고, 날개는 그저 정신적인 시동을 위해 존재할 뿐이거든. 용순이의 몸이 조금씩 떠올랐고 소현은 일어섰어. 용순이가 머리를 하늘로 향했어.

신화적인 존재가 하늘로 우아하게 치솟아 올랐어. 용순이가 날아가는 경로를 찬란한 보라색 빛이

물들였어. 그 장엄한 광경을 올려다보며 소현은 눈물을 흘렸어. 소현은 그동안 느끼지 못했던 온갖 다채로운 감정이 마음속에서 요동치는 것을 느꼈어. 슬프고 화나고 기쁘고 놀라고 즐거웠어. 한 번 경험하고 나면 다시는 그 전으로 돌아갈 수 없는, 비가역적인 사건이 일어난 거지.

기숙사에서 이 사건을 지켜보고 있던 사람들은 다음 순간 경악했어. 유소현의 몸이 떠오르고 있었던 거야. 소현의 몸에서는 용순이가 흘리는 보라색 안개와 똑같은 것이 뚝뚝 떨어졌고, 소현은 점점 가속도를 얻었어. 소현이 떠오르는 것을 지켜보며 용순이가 하늘에서 기다리고 있었지.

둘은 곧 같은 고도로 떠올랐고, 함께 창공을 갈랐어. 그 후 아무도 둘을 찾을 수 없었어.

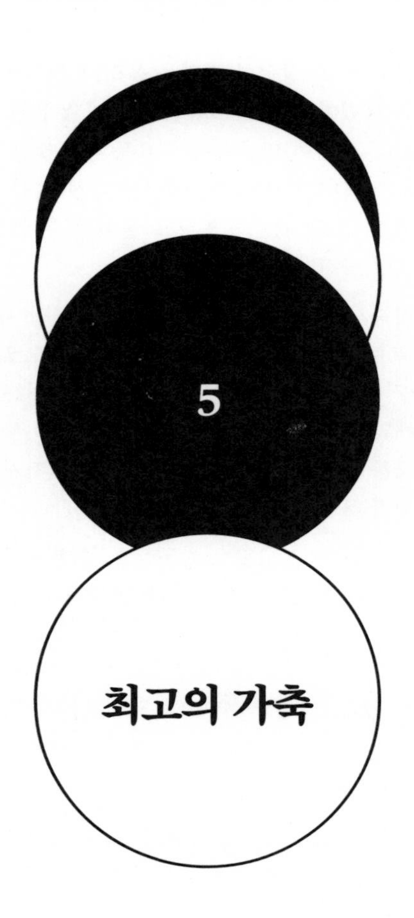

5

최고의 가축

대사헌 윤성훈 등이 아뢰었다.

"금년 봄부터 관악산에서 요사스러운 보라색 불꽃이 피어오르고 있습니다. 지난 5월에는 도성 안에 눈이 내리고, 전라도와 경상도에서는 지진이 있었으니 하늘과 땅의 불순한 기운이 이와 같습니다. 수호룡 이수갱대눈의 진노가 아닐까 두렵습니다. 신이 언관으로서 감히 말을 하지 않을 수 없습니다. 엎드려 바라건대, 전하께서는 수호룡의 노여움을 두려워하시고 공경을 다해 제사를 바치소서."

임금이 말하기를, "네 말이 옳다. 이러므로 근심하노라."

그 후 임금이 의관을 정제하고 이수갱대눈에게 7일간 재계를 바쳤다.

- 세종실록 4권, 세종 1년 7월 4일 정미 4번째 기사 / 윤성훈이 이수갱대눈의 분노를 아뢰어 임금이 수호룡에 재계를 바치다.

아직 어떤 선원도 감히 침범하지 못한 태평양의 무풍지대는 잔잔하다. 태양이 찬란히 빛나는 쾌청한 하늘에는 구름 한 점 없다. 사방 어디를 둘러보아도 자그마한 육지의 조각조차 찾을 수 없다. 아무래도 이 별은 지구가 아니라 수구라고 불러야 할 듯하다. 바닷새들조차 진입하기 꺼리는 바다의 한복판. 자연이 빚은 가장 경이롭고 가장 적막한 광경이다.

그 바다는 신화에서 튀어나온 두 거수(巨獸)의, 일찍이 본 적 없던 막대한 충돌에 전율한다.

대양 위에서 두 적나라한 색깔이 뒤얽힌다. 보라색 용과 붉은색 용, 두 용의 비늘은 작렬하는 태양빛을 반사하며 현란하게 빛난다. 두 신화적인 존재는 믿을 수 없을 만큼 커다란 몸을 뽐내며, 괴성을 지르며 바다 위에서 충돌하고, 또다시 충돌한다.

보라 용 이스켄데룬과 붉은 용 아이발리크는 아주 잠시간 마주 본다. 가볍게 날개를 펄럭이며 둘은 바다 위에 떠 있다. 두 용의 눈에는 인간이 이해할 수 없는 어마어마한 증오가 타오른다. 두 거수의 서로를 향한 분노, 둘 중 하나가 꺾이기 전까지는 사라지지 않으리라.

이스켄데룬은 몸 곳곳의 상처를 느꼈다. 치명상은 아니었지만, 방금 전에 합을 나눈 아이발리크의 몸은 매끈했다. 아이발리크는 이스켄데룬보다

1000년을 더 살아온 존재였다. 인간이 보기에는 둘 다 지평선을 뒤덮을 만큼 거대한 존재였지만, 아이발리크가 이스켄데룬보다 조금 더 컸고 육체도 훨씬 튼튼했다. 육탄전으로는 이길 수 없는 상대였다.

아이발리크가 쐐액 소리를 내며 하늘로 치솟아 올랐다. 성채가 날아오르는 듯한 광경이었다. 이스켄데룬은 아이발리크가 사나운 맹금류처럼 자신을 향해 급강하하는 것을 보았다. 이스켄데룬은 즉시 위로 날아올랐다. 아이발리크는 속도를 주체하지 못하고 대양을 침범했다. 아이발리크의 몸보다 더 큰 파도가 노호(怒號)하며 일어났다. 창공에 떠 있던 이스켄데룬은 자신에게까지 파도가 닥치는 것을 보고 기겁하며 상승했다. 몇 초 뒤 아이발리크의 거대한 몸이 수면을 박차고 튀어올랐다. 커다란 파도가 또다시 일었다.

“어디까지 도망칠 셈이냐!”

분노한 아이발리크가 이스켄데룬을 올려다보며 소리쳤다. 그 무시무시한 음성에 이스켄데룬의 비늘이 들썩였다. 대답을 바라지는 않았던 듯, 아이발리크는 입을 닫지 않고 숨을 들이쉬었다. 이스켄데룬은 붉은 용의 입에서 춤추는 불길을 보았다. 쇠를 녹이는 온도의 숨결. 아이발리크의 입으로 공기가 몰리는 것을, 그보다 훨씬 위에 있던 이스켄데룬도 느낄 수 있었다. 순식간에 아이발리크가 입에 문 불꽃을 해방했다. 중력을 무시하는 불길이 하늘로 솟구쳤다.

거의 동시에 이스켄데룬이 자신의 힘을 펼치기 시작했다. 보라 용은 붉은 용처럼 힘의 숨결을 내는 능력은 없지만, 대신 혈통 대대로 흐르는 막강한 마력을 가지고 있다. 마법 용의 일족에 속하는 이스켄데룬은 수족을 다루듯 익숙하게 세계에 널리 퍼진 마력을 조정했다. 아이발리크의 불꽃 숨결이 그에게 닿기도 전에, 이스켄데룬의 형상은 이지러졌다.

이스켄데룬의 방향으로 힘차게 솟아오르던 불길은 그의 주변으로 굴절되었다. 아이발리크는 왜곡된 이스켄데룬의 형상을 보고 분노했다. 그는 이스켄데룬과 같은 고도로 날아오르며 소리쳤다.

"겁쟁아, 비겁한 요술로 내 눈을 가리느냐! 네놈이 용이라면 당장 장막을 헤치고 명예롭게 겨룸이 옳을 것이다!"

아이발리크도 용인 만큼 얼마든지 강력한 마법을 사용할 수 있었다. 하나 이스켄데룬의 보라색 비늘은 모든 마법의 접근을 불허했다. 이스켄데룬은 코웃음을 쳤다.

"내 땅을 침범하고 내 인간들을 불태운 네가 명예를 운운하니 나로서는 실소를 금할 수가 없군, 아이발리크."
"하! 강자가 취하는 법이다."

아이발리크가 설득당할 리 없다는 것을 이스켄

데룬도 잘 알고 있었다. 흔히 거칠다고 알려진 붉은 용들 사이에서도, 신대륙의 광대한 북쪽 호수를 지배하는 아이발리크의 품성은 유별나게 잔혹하고 포악했다. 사흘 전 아이발리크는 바다를 넘어 이스켄데룬의 영역을 침범했다. 이스켄데룬은 아이발리크가 내건 조건을 떠올렸다.

"좋다. 그럼 지금이라도 내가 가진 인간의 절반을…"

"아니!"

아이발리크가 이스켄데룬의 말을 끊었다.

"너는 선을 넘었다. 이스켄데룬, 이 자리에서 너를 불사르고 그 가여운 왕국도 잿더미로 만들어 주마!"

말을 끝낸 아이발리크가 이스켄데룬에게 급격히 날아들었다. 이스켄데룬은 다급히 몸을 비틀어 공격을 피하며, 동시에 장막을 강화했다. 아이발리크의 날개가 이스켄데룬의 좌측 장막과 겹쳤다. 장막이 순식간에 산산이 부서져 흩어졌다.

이스켄데룬은 눈을 감았다. 아이발리크는 상식적인 용이 아니었다. 그는 반도에 있는 이스켄데룬의 가축인 인간들과 그들의 재산을 닥치는 대로 불태웠다. 간신히 태평양의 무풍지대까지 유인하는 데 성공했지만 이미 막대한 피해를 입었다. 많은 인간을 거느리고 싶어하는 용으로서는 전혀 이해할 수 없는 태도였다. 아이발리크는 미약한 인간들을 파괴하는 것이 마치 놀이인 양 즐겼다. 그리고 이제, 그는 이스켄데룬의 목숨까지 위협하고 있었다.

이스켄데룬의 장막을 날개로 파헤친 아이발리크는 빙 둘러 활강하며 다시 이스켄데룬 쪽으로 머리를 돌렸다. 마법의 용, 보라색 용 이스켄데룬은 분노와 복수심으로 불타는 마음을 차분히 하고자 온 힘을 다했다. 대화로 잠시 시간을 번 동안, 그는 대양에 산재한 마력을 충분히 모을 수 있었다. 다시 제 형상을 일그러뜨리며 이스켄데룬은 눈을 떴다. 불타는 아이발리크가 눈앞까지 다가왔다.

두 용이 맞부딪쳤다. 불꽃과 마법의 휘황찬란한 색채가 온 하늘을 수놓았다.

"크아아아아아아아!"

아이발리크가 울부짖었다. 이스켄데룬은 음파와 마력 때문에 왜곡된 시야의 틈에서 정합한 상을 찾으려 애썼다. 아이발리크의 몸통 한가운데에 커다란 구멍이 나 있었다. 힘을 마력으로 반사하는 데 성공한 것이었다.

고래 수십 마리 분량의 피를 쏟아 내며 신대륙 쪽으로 날아가는 아이발리크가 이스켄데룬의 눈에 띄었다. 아이발리크는 커다란 상처를 불꽃으로 소작(燒灼)하여 지혈했다. 분명히 그 정도면 용에게도 치명상이었다. 추적하여 끝장을 내기 위해 이스켄데룬은 날개를 넓게 펼쳤다.

하지만 날개는 펼쳐지지 않았다. 당황이 앞섰고, 고통이 뒤따랐다. 이스켄데룬은 1000년이 넘는 생애 동안 한 번도 느껴 보지 못했던 고통에 몸을 떨었다. 왼쪽 날개가 반 이상 날아간 것을 확인한 이스켄데룬은 간신히 남은 마력을 끌어모아 자신을 공중에 띄웠다. 삽시간에 한쪽 날개를 잃은 이스켄데룬은 흐려지는 의식을 부여잡고 자신의 영역으로 향했다. 그 뒤로 소나기가 된 용의 피가 후두둑 떨어졌다.

○

정장을 차려입은 사람이 동굴 입구 앞에 섰다. 그는 몇 번이고 호흡을 가다듬었다. 떨지 말자, 떨지 말자고 속으로 되뇌었지만 도저히 그럴 수가 없었다. 한 번만 더, 한 번만 더… 저 동굴의 깊은 아가리로 들어가기 전에.

식은땀이 주룩 흘렀다. 여전히 숨을 정리하지 못한 그는 주머니를 뒤적여 휴대폰을 꺼내 화면을 가볍게 한 번 탭했다. 그가 애인과 부둥켜안은 채로 찍은 사진이 액정 위로 떠올랐다.

"젠장, 돈 벌어야지."

그는 계속 쭈그러드는 허리를 애써 폈다. 커다란 공동으로 이어져 있다고 알려진 그 동굴의 입구는 은은하게 빛나는 보라색의 장으로 막혀 있었다. 그 보라색 빛은 초점을 맞추고 보려 하면 보이지 않았고, 시야의 가장자리에 들어올 때라야 비로소 눈에 띄었다. 분명히 강력한 마법의 산물이었다.

동굴 입구 앞에 선 자는 평범한 회사원일 따름으로, 어떤 마법도 부릴 줄 몰랐다. 그는 눈을 질끈 감고 빛 안으로 천천히 걸어 들어갔다.

"아."

눈을 다시 뜬 회사원은 작은 탄성을 질렀다. 마법의 장을 통과하자마자 전혀 기대치 못한 광경을 보았기 때문이었다. 동굴 내부는 아주 고풍스러운 한옥 양식으로 만들어진 어마어마하게 넓은 도서관이었는데, 그 천장은 하늘 저 위에 붙박여 있었다.

그 막막한 공간 곳곳에는 온갖 고서들이 아무렇게나 널려 있었다. 하나같이 최소한 보물로 지정될 가치가 있는 책들이었다. 그 도서관의 중앙에 회사원이 이곳으로 향한 이유가 자리하고 있었다.

왼쪽 날개가 찢겨 나간 채로 몸을 둘둘 말고 있는 용이었다.

둥둥 떠서는, 그 용을 중심으로 천천히 공전하는 책들이 몇 권 보였다. 저것이 용의 독서 방식일까? 회사원은 궁금증을 품었지만 그 의문을 풀 시간은 없었다. 돌고래가 너끈히 헤엄치며 놀 수 있을 크기의 눈동자가 회사원에게로 향했기 때문이었다.

장엄하고 무시무시한 눈빛이었다. 몇백m나 떨어져 있었는데도, 회사원은 다리에 힘이 풀려 주저앉고야 말았다.

"깨어난 뒤 첫 손님이구나. 마침 배가 고팠는데…."

귀를 먹먹하게 하는 음성에 회사원은 질려 버렸지만, 살고 싶다는 의지 하나로 외쳤다.

"잠깐, 잠깐, 잠깐만요! 제발 저를 먹지 마세요! 이, 이, 이스켄데룬 님!"

회사원은 성량이 작지 않았다. 그의 목소리가 도서관 벽을 타고 울렸다. 이스켄데룬은 아주 천천히 몸을 살짝 일으켜 회사원을 내려다보았다. 인간에게 위협을 가하지 않겠다는 몸짓이었지만, 크기보다는 규모라는 단어로 설명해야 할 그의 몸집 때문에 회사원은 돌아 버릴 지경이었다.

이스켄데룬이 입김을 살짝 불었다. 그 입김은 보라색 연기가 되어 코끼리 정도 크기의 이스켄데룬으로 화했다. 이스켄데룬이 인간과 편안한 대화를 위해 즐겨 만드는 일종의 화신이었다. 화신이 회사원을 바라보며 말했다.

"그래. 지난 수십 세기 동안 네 조상과 그들의 조상들을 돌본 나는 너희들의 수호자이자 마법의 주인 이스켄데룬이다. 그런데 내가 오래도 잠든 모양이군. 내 땅에 살던 사람들은 복식을 지키는 데 대단히 집착하던 사람들인데."

이제야 회사원도 정신을 차렸다. 그의 추측이 들어맞았다. 고서에 한자로 쓰인 '이수갱대눈'에서 유추해 낸 이스켄데룬이라는 이름이 옳았던 것이다. 시선을 조금만 들어 올리면 살아 움직이는 아파트 크기의 동물과 마주쳐야 했기에, 그는 애써 화신의 눈만 바라보며 말했다.

"저, 그, 이스켄데룬 님께서 관악산에서 주무신 지 430년이 지났습니다."

도서관이 울렸다. 이스켄데룬이 경악을 주체하지 못하고 온몸을 움찔한 탓이었다.

"430년?"

비틀대던 회사원이 간신히 균형을 잡았다.

"… 아, 네."
"오랜 시간이 흘렀구나. 그동안 인간 세상에도 많은 일이 있었던 모양이다. 네 냄새가 네 조상들의 냄새와 너무나도 다르구나."

회사원은 어디서부터 이야기를 해야 할지 고민했다. 용은 자기 영역에 자리 잡은 사람들의 수호자였고, 한반도를 영역으로 삼는 이스켄데룬은 한국인의 수호자였다. 포악한 아이발리크의 침입 이후 이스켄데룬이 수백 년 동안 실종되어 있던 탓에 한반도의 역사는 피고름으로 얼룩졌다. 역사 속으로 사라진 듯했던 보라색 용이 관악산 깊은 곳에서 자신을 보살피고 있을 줄이야 누가 알았겠

는가.

회사원의 고민을 아는지 모르는지 화신은 말을 이었다.

"너희들에게는 참으로 긴 시간이었을 텐데 나를 잊지 않은 것이 갸륵하구나. 어떤 공물을 가져왔는지 기대하노라. 안 그래도 배가 고픈 참이었는데."

회사원은 자신이 두 번째 고비에 다다랐음을 깨달았다. 제물은 전혀 준비되지 않았다. 그럴 수밖에 없지! 이스켄데룬에게 식량과 고서, 보물을 바치던 전통은 그가 실종되자마자 순식간에 사라졌으니까. 회사원은 자신이 성공하면, 아니 살아 돌아가기만 하면 받게 될 생명 수당과 마이너스 통장을 동시에 떠올리면서 숨을 가다듬었다. 그는 무릎을 꿇었다.

"송구하오나, 마법의 주인이여. 공물은 아직 준비되지 않았습니다."

용의 분노를 사고 싶지 않았던 회사원은 빠르게 덧붙였다.

"너무 오랜 시간 잠들어 계셨기에, 한국의 사람들 대부분이 이스켄데룬의 이름을 잊었습니다. 저는 용의 위엄을 다시 회복하고자 하는 회사… 아니 무리의 대표로 여기 왔나이다."

'마법의 주인 이스켄데룬'이라는 칭호는 온 세계의 마력을 수족처럼 다룰 수 있는 그 힘에서만

비롯된 것이 아니었다. 다른 용들과 달리 이스켄데룬은 하찮은 인간 세상의 일에도 관심이 많았다. 회사원은 이스켄데룬의 화신이 고개를 갸우뚱하는 것을 보고, 살아서 나갈 수 있으리라는 확신이 들었다.

○

꼬박 한나절 동안 이야기를 한 뒤 회사원은 용의 둥지를 떠났다. 이스켄데룬은 방금 전까지 들은 이야기를 계속 되새겨 보았다. 회사원은 한국에서 다섯 손가락 안에 드는 생명공학 기업 '셀트린' 소속으로, 셀트린이 이스켄데룬의 각성 신호를 감지했기에 대표로 뽑혀 자신을 찾아왔다고 했다. 셀트린은 현대 문명의 힘으로 이스켄데룬을 돕고자 한다고.

이스켄데룬은 처음엔 코웃음을 쳤다. 누가 누굴 돕는단 말인가? 하지만 곧 그는 깨달았다. 인간이 전지(全知)와 구분하기 힘들어할 만큼 막대한 지성을 가지고 있는 용에게도 400년의 무게는 만만찮았다. 이스켄데룬은 회사원이 화신 앞에 두고 떠난, '노트북'인지 '랩톱'인지 하는 신기한 기계에 뜬 내용을 다시 한번 읽어 보았다.

이스켄데룬의 둥지는 관악산의 북쪽, 서울시 관악구에 위치해 있다고 했다. 400년 전에도 사람들이 수도를 서울이라고 불렀다는 것을 이스켄데룬은 알고 있었지만, 그에게 서울이라 함은 한강 이북의 성 안을 말하는 것이었다. 게다가 이제 조선이란 나라는 사라졌고, 한국이라는 나라가 생겼다니? 민주정이라는 생소한 정치 체제는 이스켄데룬을 더욱 혼란스럽게 했다. 민주정을 간신히 이해하고 난 뒤에도 별세계에서 온 듯한 이상한 이야기가 이스켄데룬을 기다리고 있었다. 남한과 북한이 갈라진 뒤 서로 통일을 부르짖으면서도 무기를 맞대고 있다는데, 대체 왜? 원인을 찾아 나선 끝에 용들의 무관심 아래 인간들이 세상을 아예 갈아엎었다는 두 차례의 세계대전에 다다르자 이스켄데룬은 마법에 홀리기라도 한 느낌이 들었다.

기업이라는 개념도 생소했다. 이스켄데룬이 잠들기 전의 조선은 아직 화폐 경제가 제대로 발달하지 못한 상태였으니, 자본주의의 총체인 기업을 이해하는 것은 어려운 일이었다. 일단은 커다란, 권력을 가진 장사치 모임 정도라고 생각하기로 했다.

이스켄데룬은 인간 기술 문명의 발전 양상이 자신뿐만 아니라 다른 용들에게도 상당히 인상 깊을 것이라 확신했다. 노트북이라는 물건을 처음 보았을 때에도…. 이스켄데룬은 그것이 놀랍도록 세련된 마법이 깃든 유물이라고 생각했다. 어떻게 이렇게 정교한 유물에서 마력이 조금도 감지되지 않을까 이스켄데룬이 의아해하자 회사원은 웃으면서 그것이 전자공학의 산물이라고 말했다. 이스켄데룬은 노트북으로 지금까지 사람들이 얼마나 놀라운 것들을 만들어 냈는지 둘러보았다. 그 작은 물건은 400년 동안 인간이 이뤄 낸 수많은 성취의 한 첨단이기는 하지만, 어디까지나 일부분에 불과했다.

마법 분야의 발전 또한 놀라웠다. 물론 이스켄데룬이 잠들기 전에도 마법을 다룰 줄 아는 인간은 있었다. 가끔은 좋은 혈통을 타고나 놀라운 힘을 보여 주는 영웅도 나타났지만, 인간의 한계는 명확했다. 죽을 때까지 마법을 수련한 인간도 불씨를 틔워 내고 선선한 미풍을 만들어 내는 정도에 만족해야 했다.

하지만 인간들은 그동안 체계적인 교육 체계를 만들어 마법의 비밀을 더 깊이 파헤쳤다. 이스켄데룬의 강대한 힘에 비하면 보잘것없었지만, 능숙한 인간 마법사는 불길을 만들고 사람을 쓰러뜨릴 정도의 강풍을 부를 수 있었다. 인간은 이제 기술과 마법을 결합하는 시도를 진행하고 있었다.

이스켄데룬은 인간이 쌓아 온 지식의 총체를 보면서 진심으로 경탄했다. 그 작은 두뇌와 미약한 신체, 궁핍한 혈통으로 용들조차도 넘보지 못한 자연의 비밀을 밝히고 그것을 응용하다니. 그런 잠재력을 지닌 이들이 그토록 폭력적인 역사를 꾸린 것도 신기한 일이었다. 인간 종족을 자세히 연구해 볼 필요가 있겠다고 이스켄데룬은 생각했다.

그때 배터리의 전력이 다해 노트북이 꺼졌다. 이스켄데룬의 화신은 노트북의 자판을 이리저리 두드려 보았지만 화면에는 아무런 변화가 없었다. 이스켄데룬은 잠시 인상을 찡그렸다가 회사원이 한 말을 떠올렸다.

"이건 마법이 아니라 전기로만 움직이는 기계랍니다."

이스켄데룬의 화신이 전기 불꽃을 내며 파직거리기 시작했다. 화신이 앞발을 들자 노트북 표면이 바싹 타올랐다. 노트북을 매만져 보았지만 탄 냄새만 피어올랐다. 이스켄데룬은 끙 소리를 내면서 배를 바닥에 바짝 갖다 댔다. 방금 전까지 자기 주위를 공전하고 있던 백서른두 권의 고서를 다시 읽으려 시도해 보았지만, 용은 이미 그 책들의 매력이 바랬다고 생각했다. 꼬박 1000년이 넘게 모은 장서였는데.

집중할 대상이 사라지자 이스켄데룬은 배가 고파졌다. 회사원은 돌아가는 대로 곧장 공물을 준비하겠다고 했다. 우스운 일이었다. 왕조 시절, 한반도의 왕은 매년 이스켄데룬에게 바칠 식량을 모으느라 탈모에 시달리곤 했다. 그런데 어떻게 그리도 빨리…

그때, 이스켄데룬은 느꼈다. 공물을 전달할 때 인간이 용에게 보내기로 약속한 마법의 신호였다. 이스켄데룬은 반신반의하면서 종묘 한복판에 뚫어 둔 차원문의 입구를 열었다. 공중에서 동그란 보라색 빛이 뭉치더니 곧 커다란 보랏빛 구가 나타났다. 그 구에서 온갖 동물 시체들과 신선한 야채, 과일들이 후두둑 떨어졌다. 먹을거리들이 끝도 없이, 폭포처럼 떨어졌다. 이스켄데룬이 과거에 다른 용들에게 가끔 얻어먹었던 귀한 외국 음식들도 보였다. 400년 전에 받았던 공물이 우습게 보일 만큼 많은 양이었다. 이스켄데룬은 그 커다란 입을 딱 벌릴 정도로 놀랐다.

이스켄데룬은 온갖 진귀한 음식들의 향과 맛을 즐기면서 의문을 품었다. 지난 수천 년 동안 인간은 용에게 있어 최고의 가축이었다. 굳건한 계약 아래 인간은 용에게 식량과 보물을 바쳤고, 용은 외부의 침범으로부터 인간들을 보호했다. 인간의 능력이 이토록 자랐다면, 분명히 인간은 예전보다 더 많은 것을 요구할 터였다. 그들의 새로운 요구사항은 과연 무엇일까?

○

"저희가 어찌 당신께 많은 걸 바라겠습니까? 그저 당신의 세포 조금만 내려 주시면 됩니다."

매주에 한 번씩 몇 달을 만나 용과의 대화에 어느 정도 익숙해진 회사원은 이스켄데룬에게 그렇게 말했다. 이스켄데룬은 셀트린에서 설치한 거대한 스크린으로 여러 동영상과 글을 한꺼번에 보느라 회사원을 바라보고 있지도 않았다. 그러나 회사원이 방금 전에 한 말은 이스켄데룬의 관심을 끌었던 듯했다. 이스켄데룬의 목소리가 도서관에 울려 퍼졌다.

"세포? 내 세포를?"

"예. 저희 셀트린에서는 인간의 체세포를 줄기세포로 전환하여 온갖 조직을 배양해 내는 연구를 하고 있습니다. 앞으로는 용의 세포로도…."

이스켄데룬이 고개를 돌려 회사원을 바라보았다. 도저히 적응이 안 되는 위압감에 회사원은 전율했다. 이스켄데룬 또한 현대 생물학 내용을 계속 공부하였던 것이다. 어쩌면 회사원보다 잘 알지도 몰랐다.

"어떻게 그런 발칙한 생각을 떠올린 것이냐?"

회사원이 무릎을 꿇은 채로 상체를 폈다. 그는 품을 뒤적이더니 정장의 안주머니에서 커다란 붉은 돌 하나를 꺼냈다. 그 돌은 은은한 빛과, 강대한 마력을 내뿜고 있었다. 마법에는 아무 조예가 없는 회사원도 마력 때문에 손이 저릿저릿했다.

이스켄데룬은 곧장 그것을 알아보았다.

"피…?"

"무례를 용서하십시오. 용이여, 이것은 400년 전 당신께서 흘린 용혈이 굳은 것입니다. 한반도 곳곳에서 발견됩니다. 당신께서 깨어나기 전까지 우리는 이것을 마석이라 불렀습니다. 당신은 잠들어 계시던 동안에도 마석의 마력으로 우리를 지켜 주셨던 것입니다. 미국에서도 아이발리크가 흩뿌린 용혈이 마석의 형태로 발견됩니다. 이 마석에서 용의 세포가 발견되고 나서 연구가 진행되었습니다…."

아이발리크라는 이름을 들은 이스켄데룬의 근육이 노여움으로 꿈틀했다.

"용의 생물학적 기전은 인간과 아주 다르지만, 줄기세포와 비슷한 역할을 하는 세포가 발견되었습니다. 셀트린의 생물학자들은 그 세포를 전능 용아세포라고 부르고 있습니다. 보통의 세포에 자극을 가하면 전능 용아세포의 형질을 띠게 되고, 그것을 우리는 유도 전능 용아세포라고 부르고 있습니다. 저희가 이를 연구하는 데 당신의 살아 있는 세포가 필요합니다. 혈액을 조금만 주신다면…"

"그래서, 그것을 무엇에 쓰려고?"

회사원의 목소리가 자신감으로 가득 찼다.

"인간의 줄기세포를 연구하는 것과 같은 이유입니다. 마법의 주인의 날개를 치료할 것입니다."

이스켄데룬의 찢긴 왼쪽 날개가 떨렸다.

"미국에서는 이미 아이발리크의 커다란 상처를 치유하고자 골수세포를 받아서 연구하는 중이라고 합니다. 주인께서도 날개를 회복하고 복수

하셔야지요."

그 이름을 언급한 것이 결정적이었다. 이스켄데룬의 커다란 몸이 떨리는 모습을 보고 회사원은 엉덩방아를 찧었다. 분노한 이스켄데룬 주위로 보라색 아지랑이 같은 마법의 힘이 흩어졌다.

회사원이 문명인의 자존심을 포기하고 오줌을 지리기 직전 이스켄데룬이 말했다.

"좋다. 다시는 그 이름을 입에 담지 말라."

하루 뒤에 이스켄데룬의 몸에서 조직 샘플을 채취하기 위한 일군의 무리가 도달했다. 그들이 간과한 문제는 용의 몸이 너무나 견고하다는 점이었다. 연장으로 내리쳐도 흠집조차 제대로 나지 않는 비늘을 보면서 사람들은 용을 사냥했다는 영웅들의 설화가 얼마나 허황된 것인지 절절히 깨달았다. 결국 이스켄데룬이 스스로 몸에 상처를 내 주어야만 했다.

복수를 위해서라면, 이 정도는 별것 아닌 대가라고 이스켄데룬은 생각했다. 게다가 인간들이 지금까지 이룬 것들을 생각하면, 수백 년을 자고도 낫지 않았던 날개가 정말 예전 모습으로 되돌아올지도 모를 일이었다.

그때까진 둥지 안에서 좀 쉬는 것도 나쁘지 않을 터였다. 인간 문명의 산물을 둘러보기만 해도 충분히 재미있었으니까 이참에 자세히 조사해 봐도 좋겠다고 생각했다. 예전에 비해 상당히 복잡

해지긴 했지만 2년 정도면 다 파악할 수 있으리라.

○

그 이후로 11년이 흐르는 동안, 외국에 반도체와 가전제품, 한류 스타를 팔아먹고 살던 한국 사람들은 또 다른 양질의 판로를 발견했다. 마법 신소재 시장이었다. 셀트린에서 파는 보라색 용의 비늘은 놀라울 정도로 질기고 견고할 뿐만 아니라 가벼웠다. 게다가 그 비늘에는 인류가 지금까지 찾아낸 소재에서는 결코 찾아볼 수 없는 항마법적 성질까지 있었다. 가해진 마력을 그대로 반사하는 힘이 있었던 것이다.

오직 미국의 제약회사 파이자만이 셀트린에 경쟁할 만한 상품을 내놓았다. 붉은 용의 비늘이었다. 붉은 용의 비늘과 보라색 용의 비늘은 세부적인 특징이 판이하게 달랐기 때문에 사람들은 두 소재를 고루 많이 썼다. 붉은 용의 비늘은 마력을 반사할 수는 없었지만, 극심한 열기를 아무 손상 없이 견딜 수 있었다. 연구자들은 섭씨 5만 도까지는 붉은 용의 비늘이 전혀 변성하지 않는다는 사실을 발견했다. 셀트린과 파이자는 끝도 없이 커져 가는 새로운 시장을 반씩 나눠 차지하고는 서로를 향해 으르렁댔다.

한동안 답보 상태에 있던 여러 기술들은 용에서

난 신소재 덕분에 눈부시게 발전했다. 그중에서 가장 사람들의 이목을 끌었던 분야는 역시 우주 개발일 것이다. 고전적인 소재 대신 붉은 용의 비늘을 덧댄 우주선은 대기와의 마찰 때문에 생기는 극심한 고온을 아무 문제 없이 견뎌 냈다. 추력은 막대하지만 제어할 수 없는 불안정성이 문제였던 마력 엔진을 보라색 용의 비늘을 이용해 통제하는 방법이 발견되었다. 달에 다시 인간의 발이 닿았다.

학자들은 일련의 사건들을 무슨 혁명이라고 불러야 할지 고민하기 시작했다. 기술 발전 이후 야생의 깊은 곳으로 물러난 괴물들을 용에서 난 신소재를 이용한 무기로 사냥하는 익스트림 스포츠가 생겼다. 마법사들은 위험하다고 알려진 미지의 마법을 향해 용감하게 한 발짝 내디뎠다.

다른 나라 사람들은 도대체 그 용의 비늘이 어디서 난 것인지, 혹시 용을 잡은 것이 아닌지 의문을 품었다. 하지만 용을 잡았다면 전 세계에 퍼져 있는 수십의 용들이 가만히 있을 리가 없었다. 셀트린과 파이자가 생명공학 기업이라는 점에서 사람들이 이런저런 가설을 내놓았지만 용에서 비롯된 신소재의 생산 과정은 여전히 제대로 드러나지 않았다.

이제 셀트린의 임원이 된 회사원은 그 모든 비밀의 실체를 물론 잘 알고 있었다. 화제의 신소재는 이스켄데룬과 아이발리크의 세포로 만든 유도 전능 용아세포에서 분화한 것이었다. 셀트린은 용의 비늘뿐만 아니라 용의 근섬유, 힘줄과 인대, 연골, 근막을 양산하는 공장들을 마련해 놓았다. 그리고 언젠가는 대양의 물처럼 많은 마력을 보관한다는 심장까지…. 그 생각만 하면 임원의 가슴이 두근거렸다.

임원은 한 달에 한 번씩 이스켄데룬의 둥지를 방문했다. 한때 거대한 도서관 같았던 그곳은 이제 용을 위한 PC방 같은 모습이 되어 있었다. 이스켄데룬은 살짝 옆으로 드러누운 채로 형형색색의 수많은 스크린들을 바라보고 있었다. 셀트린은 용을 위해 수천 개의 스크린을 설치해 주었는데, 이스켄테룬은 그 스크린에 떠오르는 제각기 다른 내용들을 모두 확인하고 있는 것이었다. 둥지의 한구석에서는 그가 먹다 남긴 여러 음식들이 조금씩 썩어 가고 있었다. 경이와 경악을 동시에 자아내는 드문 광경이었다.

마법의 주인을 보고 임원은 멈춰 섰다. 이스켄데룬이 먼저 말했다.

"네가 추천한 펀드 열네 개 중에서 두 개가 지금 끔찍한 수익률을 보이고 있다."

임원은 뜨끔했다. 동시에 용의 돈을 굴리고 있는 그 펀드매니저가 불쌍하다는 생각도 했다.

"워, 원래 그게 안전 상품이 아니라서…. 투자라는 게 원래 실패할 가능성도 있는 것 아니겠습니까?"

"그래, 그래…. 다른 다섯 개의 수익으로 벌충할 수는 있으니까. 하! 인간들의 돈 놀음, 이 광기란 참 예측할 수가 없군."

"하하. 고서들을 판매하셔서 얻은 자금이 워낙 커서, 한번 수익이 나면 잃은 돈을 벌충하고도 남을 겁니다."

사실 셀트린이 모든 편의를 제공하기에 이스켄데룬에게 돈은 아무런 의미가 없었지만.

"역시 그런가?"

"예, 예. 아, 제가 추천해 드린 유튜브 채널도 확인해 보셨나요?"

"추천할 것까지도 없다. 매일 만 개 정도의 영상이랑 글을 보고 읽고 있으니까. 정말이지 끝이 없더군."

"역시 탁월하십니다. 저희는 상상도 할 수 없는…"

이스켄데룬이 자신에게 더 이상 주의를 기울이지 않는다는 것을 임원은 느꼈다. 그는 한 번 고개를 꾸벅 숙인 다음, 들고 왔던 길쭉한 가방에서 뾰족한 지팡이 같은 물건을 꺼냈다. 용의 피를 뽑기 위한 목적으로 만들어진 1m 70cm짜리 채혈침이었다. 임원은 양손에 채혈침을 들고 이스켄데룬의 피를 뽑기 위해 용의 앞발로 천천히 걸어갔다. 2층 주택만 한 앞발이 가까워졌다. 앞발에 가까이 다가간 그는 익숙한 몸짓으로 침을 꽂아 넣었다. 뜨거운 피가 퐁퐁 솟아 나와 침 안으로 빨려 들어갔다. 묵직해진 채혈침을 가방 안에 넣고 임원은 둥지 밖으로 천천히 걸어 나갔다.

용은 혼자 남았다. 둥지에 웅크린 이스켄데룬은 오늘 안에 무엇을 더 보아야 할지 헤아리기 시작했다. 피로했다. 그의 무지막지한 두뇌에도 다 담기지 않을 만큼, 인터넷을 떠도는 정보의 양은 어마어마했다. 그 바다를 헤엄치는 일은 즐겁고도 막막한 일이었다.

이스켄데룬은 다양한 정보를 가리지 않고 흡수했다. 얼마 전에는 한 다큐멘터리를 재밌게 보았다. 1951년, 자궁경부암에 걸린 한 여자의 암세포가 분리되었다. 여자는 그해에 죽었는데도 암세포는 지금까지 살아남아 활발히 증식하고 있다고 했다. 불멸을 획득한 그 세포는 수많은 분야에서 연구에 이용되었다.

이스켄데룬은 인터넷의 수많은 정보들 중 대다수가 포르노와 귀여운 동물들을 다룬다는 사실에 당황하기도 했다. 왜 인간들은 이렇게도 번식에 관심이 많은 것인가? 약한 존재들이라 최대한 머릿수를 늘리기 위해서? 그것은 만족스러운 가설이었다. 그렇다면 고양이나 황제펭귄에 집착하는 모습은 어떤 가설로 설명해야 할까. 용은 자신과 인간 사이에 얼마나 큰 장벽이 있는지 문득 생각했다.

용에게 있어 인간은 결국 가소로운 존재였다. 용은 인간이 만들어 낸 온갖 기묘한 문명의 이기를 만들 필요가 없었다. 용은 그 자체로 오롯이 위대했다. 천문학적 단위로만 가늠할 수 있는 에너지를 손쉽게 다루었으며, 별과 그 수명을 겨룰 수 있었다. 용들은 한때 인간에게 신으로 숭배받기도 했다. 용은 인간들이 갖은 고생을 해 가며 바치는 공물을 그저 받아먹기만 하면 된다. 그것이 자연의 규칙이다. 이스켄데룬은 용의 삶이 만족스러웠다.

이스켄데룬은 안락한 상태로 시간도 잊고 둥지 속에 웅크려 살았다. 둥지 내부를 유지하던 마력이 어느새 약해져 보라색 빛은 희미해졌다. 그보다 수천 개의 스크린에서 발하는 빛이 이스켄데룬을 더욱 환하게 밝혔다. 임원이 이스켄데룬의 둥지를 찾는 주기는 갈수록 길어졌다.

○

7개월 만에 둥지를 찾아온 임원과 이야기하는 와중에, 이스켄데룬은 지나가듯 물었다. 비슷하게 흘러가는 하루하루에 지루해지기도 한 터라 나온 질문이었다.

"그런데 아이발리크는 어떻게 되었지?"

신나게 정치 테마주 이야기를 하고 있던 임원의 얼굴은 아주 짧은 시간 동안 창백해졌지만, 그는 곧 평정을 되찾았다. 인간의 적응력이란 어찌나 대단한지 10년 이상의 세월이 흐르면 아파트 한 채만 한 신화적 괴물 앞에서도 혀를 매끄럽게 돌릴 수 있게 되는 것이다.

"아, 그 이름을… 먼저 말씀하실 줄은 몰랐습니다."

"놈은 내 날개를 이렇게 만들어 놓은 대가를 치러야 한다."

이스켄데룬은 애써 담담한 척을 하였다. 10년이 넘도록 둥지에 콕 박혀 안온하게 살았던 마법의 용은 아이발리크란 이름을 떠올릴 때마다 분노에 떨었다. 하지만 그가 아무리 인터넷을 돌아다녀도 아이발리크에 대한 소식을 찾을 수가 없었다. 이스켄데룬의 머릿속에는 항상 의문이 맴돌았다.

그 잔악했던 아이발리크가 정말 인간에게 자기 세포를 순순히 넘겼을까? 인간을 태워 버리고 약탈하는 데 아무런 거리낌이 없던 그 악한 용이?

임원이 고개를 조아렸다.

"이스켄데룬 님, 그 간악한 붉은 용에 대한 모든 정보는 파이자의 특급 기밀입니다. 저희도 최선을 다하고는 있습니다만… 아시다시피 파이자와 셀트린은 적대적인 관계다 보니 정보 수집이 쉽지 않습니다."

"그래, 너희 인간들은 혀만 매끄럽게 잘 돌아갈 뿐 항상 나약하고 무능력하지. 됐다."

임원은 이스켄데룬에게 입에 발린 말과 공허한 약속을 몇 마디 더 하고서는 돌아갔다. 인간 사회에 아직 익숙하지 않았던 때라면, 이스켄데룬은 그 모든 이야기에 주의를 기울였으리라. 하지만 그런 말은 들어 봐야 순전히 시간 낭비라는 것을 그도 이제 잘 알고 있었다. 곧 커다란 도서관에 이스켄데룬이 혼자 남았다.

이스켄데룬은 찌뿌둥한 몸을 이리저리 쭉 뻗어 보았다. 나름대로 스트레칭을 해 보아도 이스켄데룬은 전신에 느껴지는 찝찝함에서 벗어날 수가 없었다. 이유는 명확했다. 오랫동안 엎드리고만 있어 몸이 무거워지기도 했거니와, 왼쪽 날개에서 가시지 않고 지속되는 찌릿한 환상통도 큰 문제였다. 이스켄데룬은 찢긴 왼쪽 날개를 돌아보았다. 너덜너덜한 날개에 고통의 앙금이 가실 줄을 몰랐다. 이스켄데룬은 당장 그 붉은 거수를 마법의 화염으로 불태워 버리고 싶었다.

이스켄데룬은 오랜만에 네 발로 땅을 딛고 섰다. 용과 용 사이의 갈등은 결국 용이 해결하는 수밖에 없다고 그는 생각했다. 이스켄데룬은 자기를 둘러싼 수많은 전자기기들을 공중 높이 띄웠다. 기계들에 가려져 있던 커다란 보라색 용의 모습이 완전히 드러났다. 이스켄데룬은 둥지의 입구로 걸어갔다.

사람에게는 성문처럼 커다랗지만 이스켄데룬에게는 턱없이 작은 입구를 핵으로 한 보라색 소용

돌이가 일어났다. 그 소용돌이는 천천히, 하지만 계속 확장되고 커졌다. 그와 함께 도서관의 입구도 조금씩 늘어났다. 한 시간 정도가 지나자 이스켄데룬이 지나갈 수 있을 만큼 커다란 대문이 형성되었다. 이스켄데룬은 문을 열었다.

대낮이었다. 수백 년 만에 처음으로 이스켄데룬은 관악산의 풍경을 보았다. 혜화에 있는 서울대학교 연건캠퍼스를 이곳으로 옮기려고 했다가 잠들어 있는 이스켄데룬을 발견한 후 모든 계획을 취소했다는 임원의 이야기를 이스켄데룬은 기억했다. 아직도 제대로 정리가 되지 않은 캠퍼스 공사 터가 보였다. 그리고 관악산을 둘러싼 커다란 보라색 장막도.

자신의 둥지를 둘러싼 마력을 본 이스켄데룬은 의구심부터 들었다. 다른 용이 관악산 근처에 있는 것일까? 산을 통째로 덮고 있는 그 장막에서는 용의 힘이 느껴졌다. 이스켄데룬은 장막 쪽으로 천천히 걸어갔다. 이스켄데룬이 한 발 한 발 앞으로 내디딜 때마다 지축이 울렸다. 지상에 붙박여 있던 나무들이 이스켄데룬의 발톱에 걸려 우지끈 소리를 내며 종잇장처럼 찢어졌다.

"이스켄데룬 님-! 무슨 일로 바깥으로 나오셨습니까-?!"

장막 바깥에서 커다란 목소리가 들려왔다. 이스켄데룬은 소리가 들린 방향으로 고개를 돌렸다.

셀트린의 로고가 붙은 커다란 초소 위에서 한 인간이 확성기에 대고 바락바락 소리를 지르고 있었다. 이스켄데룬은 그 인간의 겁먹은 얼굴을 보고 임원이 회사원이던 시절의 기억을 떠올렸다가, 입을 열었다.

"아이발리크에게 볼일이 있다. 장막을 치워라."

"이스켄데룬 님-! 날개가 아직 회복되지 않으셨는데-! 위험합니다-!"

이스켄데룬은 날갯살에 힘을 주었다. 온전한 오른쪽 날개와 찢긴 왼쪽 날개가 가로로 크게 펼쳐졌다. 이스켄데룬은 날개를 몇 번 흔들어 보았다. 날개 밑에서 생긴 커다란 바람이 거침없이 뻗어 나가다 장막에 부딪혀 이리저리 굴절되었다.

"너희들이 신경 쓸 일이 아니다. 오만한 인간들이 맞았던 운명을 그대로 맞고 싶지 않다면 어서 장막을 치워라."

"저- 저희는 권한이-!"

이스켄데룬은 고개를 크게 가로젓고는 장막에 접근했다. 가까이 다가가니 장막에 담긴 마력이 한결 강하게 느껴졌다. 이스켄데룬은 눈을 감고 대기에 산재한 마법의 힘을 끌어모았다…. 하지만 아무런 응답도 없었다. 용은 눈을 떴다. 장막이 어디서 생성되는지 커다란 목을 이리저리 돌려 찾아보았다. 어렵지 않게 찾을 수 있었다.

장막은 이스켄데룬의 둥지를 둘러싼 초소에 설

치된 커다란 마법 엔진에서 그 동력을 얻고 있었다. 엔진은 대기에 널리 퍼진 마력을 끊임없이 포집하여 가공했다. 그 엔진은 용에게는 익숙한 재질로 만들어져 있었다. 보라색의 용 비늘이었다.

이스켄데룬은 역겨움을 느꼈다. 어찌 감히 인간이…. 용은 수많은 재앙을 불러올 수 있는 앞발을 들어 올렸다. 발톱이 태양에 반짝였다. 그는 장막에 발톱을 찔러 넣었다. 순식간에 장막이 찢겨 나가기 시작했다.

"아, 안 돼-!"

초소 위에 서 있던 사람은 확성기를 입에서 떼는 것도 잊고 비명을 질렀다. 이스켄데룬이 장막을 파열시키고 커다란 머리를 들이미는 동안, 셀트린의 초소에 있던 수많은 사람들은 다급히 이동했다.

수 분 만에 이스켄데룬은 자기가 비집고 들어갈 수 있을 만큼 장막에 커다란 상처를 냈다. 이스켄데룬은 뒷발로만 서서, 두 앞발로 장막을 잡고 가로로 길게 찢어 버렸다.

그때 이스켄데룬은 머리에 가해지는 커다란 충격을 느꼈다. 그는 전혀 예측하지 못한 둔중한 타격에 당황했다. 용은 콧김을 격렬히 내뿜으며 그를 공격한 용감한 인간을 찾았다.

셀트린 소속의 수많은 마법사들이 그를 겨냥하며 주문을 외우고 있었다. 이스켄데룬은 그 광경을 보고 분노에 휩싸이기보다는 지루한 농담을 들은 것 같은 기분을 느꼈다. 이스켄데룬은 목소리를 한 번 가다듬은 다음 커다랗게 소리 질렀다.

"이 하찮은 것들이 감히 너희의 주인에게…"

말을 끝내기도 전에, 이스켄데룬의 온몸에 타격이 쏟아졌다. 수많은 마법사들이 그에게 화염구를 쏟아붓고 있었다. 화염구뿐만이 아니었다. 이스켄데룬은 대구경 대공포가 자신을 조준하고 있는 것을 보고 격노했다. 용은 장막을 유지하던 엔진 하나를 밟아 짓이겼다. 그의 비늘에 의해 엔진으로 모아지고 있던 마력이 대기 중으로 다시 퍼져 나가는 것을 느낀 이스켄데룬은 그 힘으로 날아올랐다.

날개를 전혀 쓰지 않고, 오직 마력으로만 그 거대한 존재가 공중에 떠오르는 것은 너무나도 비현실적인 광경이었다. 셀트린의 수많은 마법사들과 핵심 기간 시설을 보호하던 군인들은 잠시 동안 멍하니 있다가 다시 그들의 목표를 향해 조준하기 시작했다.

용은 포효했다. 수도권에 사는 모든 한국 사람들이 그 무시무시한 소리를 들었다. 이스켄데룬은 이 자그마한 인간들에게 그가 받은 대로 돌려주기로 결심했다. 여름낮의 구름 한 점 없는 푸른 하늘에, 수채화 물감이 퍼져 나가듯 별들이 총총히 박힌 공허가 퍼져 나가기 시작했다. 사람들은 그 막막한 어둠 속에서 작은 유성들이 떨어지는 것을 보았다.

"불타라, 멍청한 것들아!"

그 유성우는 찢긴 공간의 틈을 따라 관악산 아래로 우수수 떨어졌다. 이스켄데룬은 창공에 떠 그 광경을 바라보았다. 다른 공간에서 이동해 온 이 유성들이 오만한 자들에게 적당한 징벌을 내려줄 것이다….

하지만 그것은 이스켄데룬의 희망사항에 지나지 않았다. 첫번째 유성이 대지와 충돌하고 폭발을 일으키기 직전, 사람들은 이미 붉은 용 비늘로 된 보호구를 뒤집어쓰고 있었다. 이스켄데룬은 그 광경을 보고 경악했다.

"부, 붉은 용의 비늘은 파이자의 것일 텐데-"

이스켄데룬은 더는 말을 이을 수 없었다. 용 비늘로 만들어진 330mm 대공포의 포탄이 하늘을 가르고 이스켄데룬의 오른쪽 날개를 산산조각 냈기 때문이었다. 이스켄데룬은 의식을 잃고 산 아래 깊은 곳으로 추락했다.

◌

이스켄데룬은 둥지에 가만히 엎드려 있었다.

임원이 '비극적인 사고'로 묘사한 잠시간의 외출은 금방 끝이 났다. 관악산을 둘러싼 셀트린의 초소에는 이스켄데룬에 대항하기 위한 온갖 장비가 준비되어 있었다. 어마어마한 크기의 대공포, 용 비늘로 만들어진 보호 장구들, 복제된 용의 피로부터 마력을 공급받는 인간 마법사들. 셀트린의 전사들은 아이발리크의 몸에서 나온 소재들로도 잔뜩 무장하고 있었다.

이스켄데룬이 의식을 되찾은 지 열흘이 지나, 임원은 예전에는 데려오지 않던 사람들과 함께 둥지에 나타났다. 언제나 양복만 입고 오던 그는 온몸을 복합 마법 소재 장비로 둘둘 두르고 있었다. 이스켄데룬은 아이발리크도 이런 꼴을 당했을까 궁금했다.

"이스켄데룬 님, 저희 셀트린에 최대한 협조하여 주십시오. 양 날개를 반드시 치료하여 드리겠습니다. 저희로서도 이스켄데룬 님을 포기할 수 없습니다. 이스켄데룬 님이 거절하시면 우리가 세포를 받을 수도 없는걸요."

임원은 아주 형식적인 말을 하고 떠났다. 하지만 이스켄데룬은 그 말을 믿고 싶었다.

한번 성공적으로 유도 전능 용아세포를 만들어내고 나면, 그 세포의 복제를 안정적으로 유도해 낼 수 있다면, 그렇다면 이스켄데룬의 몸에서 세포를 확보할 필요가 없으리라. 이스켄데룬이 모를 리가 없었다. 이미 배워서 알고 있는 내용이었다.

그랬다. 이건 계약이었다. 스스로 알고 약속한

것 아니었나. 이것은 합의된 계약 관계 아니겠나. 자기가 주체적으로 결정했다는 생각을 하면 기분이 나쁘지 않았다.

한때 이스켄데룬은 자기 밑에 둔 인간들에게 위험이 닥칠 때마다 둥지 밖으로 나섰다. 거대한 몸집을 움직이는 것은 부담이 되는 일이어서, 이스켄데룬은 밖으로 나가는 걸 선호하지는 않았다. 앞으로 용이 밖으로 나설 일이 있을까? 인간들은 이제 대부분의 위험을 스스로 헤쳐 나갈 수 있을 것이다. 그리고 용에게는 제물을 계속 바치겠지. 그 안온함의 대가는 피 몇 방울에 지나지 않았다.

이미 세포를 복제했기 때문에 이스켄데룬이 쓸데없는 존재라면, 왜 인간들이 계속 그에게 공물을 바치겠나? 그것은 신실한 숭배와 존중의 표시다. 역사가 시작하기 전부터 유지되던 거래 관계는 깨지지 않았다. 이스켄데룬은 여전히 우위에 선 채였다.

인간이 지금까지 길들였던 가축들 중 가장 위대한 존재인 이스켄데룬은 자기가 좋아하는 자세로 웅크렸다. 배가 바닥에 닿는 시원한 느낌을 그는 좋아했다. 참으로 탁월하고 평화적인 결론이라고 그는 확신했다.

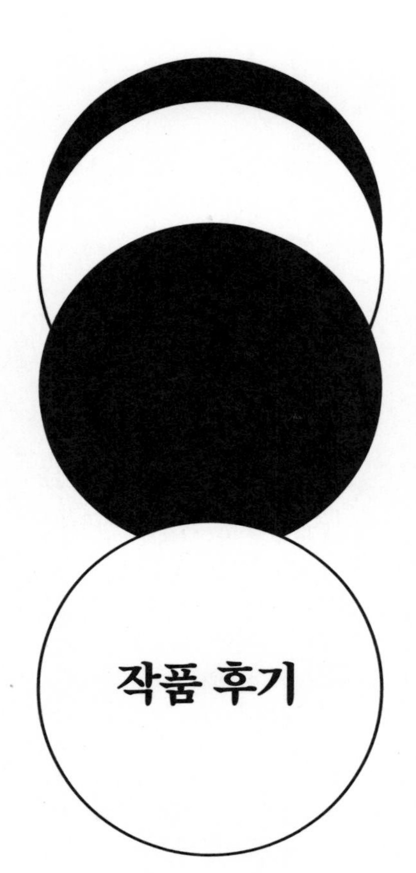

작품 후기

정적

2018년 6~7월 사이에 쓴 〈정적〉은 내가 처음으로 쓴 소설이다. 운 좋게도 〈정적〉은 당시 내가 노리던 서교예술실험센터의 '같이, 가치' 프로젝트 작품으로 선정되었고, 첫 계약작이 되었으며, 이제 내 단편집에 들어가게 되었다. 아름답지 아니한가. 내가 고슴도치는 아니지만 이런 자식을 보고 있노라면 함함하지 않을 수가 없는 것이다.

처음 쓴 소설이다 보니, 1년 정도의 시간이 지난 지금 보기에는 내 취향과 다른 점이 있다. 지금 썼다면 굳이 카페 주인에게 로맨틱한 감정을 느끼는 묘사를 넣을 필요가 없으리라 생각했을 테고, 앞날 불안한 대학생 주인공을 너무 많이 써서 인물 설정을 바꾸었을 것도 같고 그렇다. 하지만 2018년의 나만이 쓸 수 있는 글에 2019년의 내가 개입하면 뒤틀려 엉망이 됐을 게 뻔하다.

〈정적〉은 내게 꾸준한 불안감을 주기도 한다. 내 인식의 한계 저 너머를 마음대로 상상하는 것, 이것은 결국 기만적이고 시혜적인 태도 아닌가? 비장애인이 소통하려 수어 배우는 게 '고마운' 일인가? 글쎄…. 나는 나를 100% 변호할 수 없다. 앞으로 글을 쓰면서 계속 고민해 보아야 할 숙제일 것이다.

경의중앙선에서 마주치다

나는 지하철이 없는 마산이라는 시골에서 태어나 20년을 살았다. 처음 서울에 올라와서 본 지하철은 그야말로 지금껏 본 적 없던 휘황찬란한 문명의 이기였다. 아마 외계인이 나를 붙잡아서 우리 은하 전체를 아우르는 초공간 도약 게이트에다 데려다 놓으면 비슷한 느낌이 들까.

그런데 서울에서 몇 년 지내다 보니 이 지하철이야말로 원한과 증오가 꼭꼭 수납되어 있는 공간이었다. 하루에 몇 시간을 지하철 안에서 보내는 사람들의 눈은 텅 비어 있었다. 언젠가는 지하철이라는 공간에 대한 이야기를 쓰고 싶었다. 특히 가장 끔찍했던 경의중앙선에 대한 이야기를.

지하철에 대해 쓰고 싶은 이야기는 아직 몇 개 남아 있다. 그중 하나를 소개하자면, 역시 지하철의 노인들이다. 1호선 광인이라는 둥 하는 조롱조의 별명이 붙어 있을 정도지만, 결국 노인들의 생활환경과 복지가 나쁘니 최소한의 냉난방이라도 공짜로 누릴 수 있는 지하철로 몰리는 것이라고 생각한다. 그 탓에 대중교통 이용자도, 노인도, 직원도 모두 불행해진다.

좋든 싫든 매일 시간을 보내야 하는 공간이라면, 대중고통이 아니라 대중교통이기를 바랄 뿐이다.

땡스 갓, 잇츠 프라이데이

이 소설은 내 나름대로의 시간 여행 이야기다. 나는 몸과 마음이 시간축을 마음껏 헤엄쳐 다니는 시간 여행의 개념을 도저히 받아들이기 힘들었다. 머릿속에서 끝없이 떠오르는 패러독스들을 떨쳐 낼 수가 없었던 것이다. 나는 의식만 빠릿빠릿하게 일주일씩 뛰어넘는 사람을 상상했다.

이 소설의 제목은 원래 '주 7일 근무제'였으며, 4만 자 길이의 중편이었다. 그런데 써 놓고 보니 별 재미가 없었다. 주인공을 기계처럼 살아가는 공무원으로 만들었더니 그냥 〈모던 타임즈〉의 한심한 아류작이 되었다. 괜히 대중 작법서에서 주인공을 호기심 많고 능동적인 인물로 만들라고 하는 것이 아니다. 소설은 클라우드 스토리지의 깊은 심연에 처박혀 몇 달간 부패했다. 아예 발효했으면 좋았을 텐데.

단편집 계약을 한 나는 소설에서 곰팡이가 핀 부분을 잘라 내고 빠른 템포의 단편으로 만들기로 결심했다. 가지치기보다는 벌목에 가까운 과정을 거쳤고, 이것은 그 결과다. 김현의 직업도 바꾸고 싶었지만, 내 기력과 시간의 고갈이 심각한 수준에 달했다.

이름을 빌려준 친구 윤희랑에게 감사한다. 타국에서 의학을 배우고 있는 그는 실제로 내가 본 사람들 중 가장 민트색이 잘 어울린다.

신화의 해방자 & 최고의 가축

판타지라는 하나의 거대한 장르 안에는 수많은 하위 장르의 문법이 있고, 각 작품들은 조금씩 다른 풍미를 가지게 된다. 사람들은 작품들을 소화하면서 자신만의 판타지 세상을 마음속에 구축한다. 내 판타지 세상은 어렸을 때부터 즐긴 여러 작품들의 세계가 이리저리 조합된 일종의 패치워크다.

이 소설들 속의 용을 묘사하면서 나는 마음속에 〈워크래프트〉 시리즈의 용 군단을 연상했다. 마력이 보라색 빛깔을 띤다는 것은 〈워크래프트〉에게 수십 년간 주입식 교육을 받은 결과 내 마음 가장 깊은 곳에 아로새겨진 사실이다. 이스켄데룬과 아이발리크라는 다섯 글자로 된 이름은 당연히 이영도 작가의 용 작명법을 따른 결과이다. 이스켄데룬은 터키의 도시 이름이지만, 내 마음속에서 이스켄데룬은 〈던전 크롤〉이란 게임의 대마법사로 더 익숙한 이름이다.

누더기 용을 만들게 된 계기는 인터넷을 뒤져 보다 읽게 된 두 엽편이었다. 네이버 블로그에 올라온 〈소녀와 드래곤〉, 〈소녀와 드래곤: 불황의 역습〉이라는 짧은 소설인데, 국세청에서 일하는 경제학자인 한 소녀가 용을 찾아가 세금을 받고 난 뒤 투자를 비롯하여 온갖 자산 굴리는 방법을 용에게 알려 주는 내용이다. 그 짧은 희극을 읽고 현실 세계에 판타지를 겹치는 것이 상당히 매력적이고 또 풍자적인 재미도 줄 수 있는 방법이라고 생각했다. 그렇게 해서 쓰인 〈최고의 가축〉은 비극에 가깝다. 나는 잘 몰랐는데, 내 주변 사람들은 왜 나보고 비극만 쓰냐고 묻는다. 사람들을 즐겁게 해야 하는데 참으로 비극적인 일이다.

〈신화의 해방자〉는 초고에서부터 많은 시련을 겪은 소설이다. 원래 제목은 '풀려나다'였고, 서술 방식도 지금과 완전히 달랐다. 여러 번 고쳐 썼지만 만족할 만한 결과가 나오지 않았다. 그때 마침 듀나 작가의 〈하필이면 타이탄〉을 읽게 되었다. 일곱 번 정도 재독한 뒤에는 이 천재적인 소설의 서술 방식을 따라 해 보고 싶다는 욕망이 생겼다. 나는 초고를 내다 버리고 아예 완전히 새로 썼다. 1만 5000자 정도의 분량을 하루 만에 작성하는 데 성공했고, 결과는 이전보다 대단히 나아졌다고 자신한다. 듀나 작가는 참 대단하다.

〈신화의 해방자〉를 쓰면서 나는 수의대생 김선경 씨의 도움을 많이 받았다. 내 글을 읽어 주시고 감상을 꼬박꼬박 써 주시는 데다 글쓰기에 직접적인 도움까지 주시니, 내 부족한 문장에 무진한 감사의 마음을 담을 길이 없다.

그동안 마음에 부담이 되었던 문단이 있는데, 5쇄를 찍은 시점에 정리해 본 생각으로 부연하고자 한다. 〈신화의 해방자〉 중간에는 동물실험 윤리가 연구자의 안녕에만 봉사한다고 빈정대는 내용이 있다. 물론 이 내용은 사실이 아니다. 동물실험에 적용되는 강력한 윤리 가이드라인은 우리들을 위해 희생하는 실험동물들의 복지와 안녕에 실제로 큰 도움이 된다. 작품을 쓸 당시 독자들에게 작품의 화자를 추론하는 즐거움을 주기 위해 이런저런 내용을 넣었는데, 내 능력이 부족해서 기대했던 효과는 내지 못하고 몇몇 연구자분들의 마음을 불편하게만 했던 것 같다. 다음에는 좀 더 잘해 보도록 하겠습니다.

○

이 단편집에 속한 모든 작품의 초고는 내 가장 친한 친구 육아리 씨가 전부 가장 먼저 읽고 검토해 주었다. 아마도 이런 친구를 인생에서 두 번 만나기는 힘들 것이다.

항상 내게 기쁨을 주는 안전가옥 운영 멤버분들과 이 단편집의 프로듀서 신(Shin)에게도 진심으로 감사드린다. 앞으로 오래 안전가옥에서 글을 낼 수 있기를, 또 내 글이 안전가옥에게도 도움이 되기를 바란다.

졸고를 꼼꼼히 읽고 편집해 주신 이혜정 편집자님께도 존경과 고마움을 전하고 싶다. 첫 교정본을 받아 보니, 원고의 80%에 달하는 상세한 각주가 달려 있었다. 영혼의 강인함 없이는 불가능한 작업이었으리라.

마지막으로 가족과 내 글을 사랑하는 독자 여러분께도 감사의 뜻을 표하고 싶다.

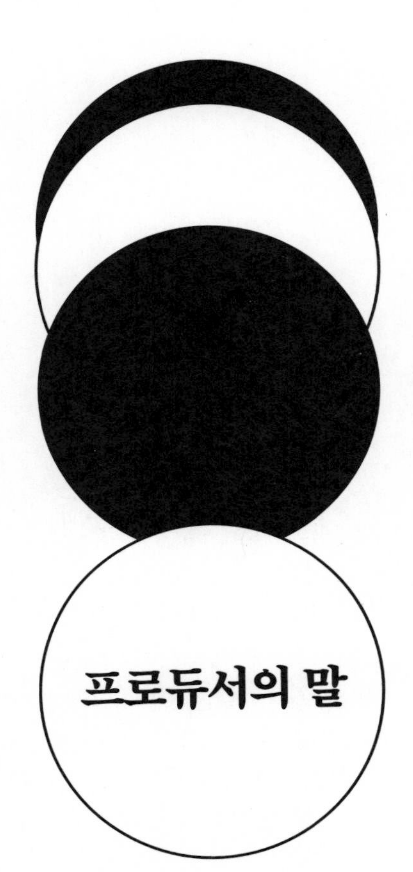

프로듀서의 말

《땡스 갓, 잇츠 프라이데이》는 안전가옥 '쇼-트' 시리즈의 첫 번째 책입니다. 동시에 심너울 작가의 첫 번째 단편집이기도 해요. 시리즈의 첫 번째 책을, 작가의 첫 단편집으로 시작할 수 있어 무척 기쁩니다. 처음과 처음이 만난다니, 두 배로 설레지 뭐예요.

심너울 작가가 첫 소설을 쓴 때가 2018년 6월이라고 하는데요, 지금(2019년 12월)까지 발표한 소설이 무려 21편이에요. 고작 1년 반 정도 되는 기간 동안 왕성한 창작 활동을 이어 왔죠. 온라인 소설 플랫폼과 환상문학웹진 '거울'에서 주로 활동했고, 안전가옥의 《대멸종》 앤솔로지에도 참여했어요. 2018년 가을에는 장편소설 《소멸사회》까지 발표했죠.

작가의 몇몇 작품들은 트위터를 중심으로 뜨거운 이야깃거리가 되기도 했고, 얼마 전에는 웹툰화 계약을 체결하기도 했어요. 그야말로 '라이징 스타'라 부르기에 부족함이 없을 정도예요. 사람들이 '한국 SF 불모지론'을 입에 담는 동안, 90년대에 태어난 이 작가는 꾸준히 자신의 이야기를 세상에 선보이고 있었죠.

그러니 이 책을 만들면서 가장 어려웠던 것은, 지난 1년간 발표한 작가의 작품 중에서 어떤 작품들을 고를 것이냐 하는 문제였어요. 후보가 많으면 쉬울 줄 알았는데, 오히려 너무 많으니까 어렵더라고요. 결국 심너울이라는 작가의 탄생을 알린 〈정적〉을 가장 첫 작품으로 하고, 다음에는 작가의 작품 중 제가 두 번째로 좋아하는 〈경의중앙선에서 마주치다〉를 싣기로 했어요. 〈땡스 갓, 잇츠 프라이데이〉, 〈신화의 해방자〉, 〈최고의 가축〉은 이번 소설집을 위해 새로 쓴 작품들이고요. 그러니 이 소설집은 '심너울'이라는 작가의 시작과 현재가 고스란히 담긴 책이라고 할 수 있을 거예요.

그가 만들어 내는 이야기들은 SF 및 판타지의 세계와 설정을 빌려 오지만, 동시에 우리의 현실과 무척 가까운 것들이에요. 사상 초유의 '정적 사태'는 서울 마포구와 서대문구 일대에서 벌어지고(《정적》), 억울함에 구천을 떠도는 원념들은 경의중앙선 '백마역'에 머무르죠(《경의중앙선에서 마주치다》). 금요일이 반복되는 '시간 점프'는 근추동 행정복지센터 말단 주무관에게 일어나고(《땡스 갓, 잇츠 프라이데이》), 1000년을 넘게 살아온 드래곤은 서울 관악산에 둥지를 틉니다(《신화의 해방자》, 〈최고의 가축》).

작가는 익숙한 공간과 낯선 존재들을 만나게 하고, 거기에서 필연적으로 생겨나는 틈에 인물을 둡니다. 그 인물은 90년대생인 작가의 또래들과 비슷한 사람들이에요. 형편이 넉넉지 않은 대학생이거나, 이제 막 취업한 사회 초년생 같은 사람들이요. 그들은 그저 하루를 살아 내기 위해 노력하다가 이상한 일에 휘말립니다. 세상을 구할 영웅도 희대의 악당도 아닌 그들이 할 수 있는 건 별로 없습니다. 울거나, 미치거나, 일상으로 돌아오거나. 운이 좋다면, 하늘 높이 날아오르기도 합니다만, 글쎄요. 기회가 된다면, 독자님들과 더 많은 이야기를 나누고 싶어요. 그러니 오늘은 여기까지만 하고,(제가 진짜로 하고 싶은 말은요,)

새로운 이야기꾼의 탄생에 함께해 주셔서 감사합니다. 이제 막 작가로서의 첫발을 내디딘 심너울 작가의 이름을 기억해 주시고, 응원해 주세요. 더불어 안전가옥의 이야기에도 관심을 나누어 주신다면 큰 힘이 될 것 같아요.

이혜정 편집자님, 금종각 이지현 디자이너님, 그리고 안전가옥 운영 멤버들 — 뤽, 클레어, 테오, 쿤, 헤이든, 모, 레미, 시에나 — 늘 감사합니다. 부족한 프로듀서에게 기꺼이 첫 번째 독자의 자리를 내어 준 심너울 작가님께 가장 큰 감사의 인사를 전하고 싶습니다.

안전가옥 스토리 PD
김신 드림

땡스 갓, 잇츠 프라이데이

지은이 심너울
펴낸이 김홍익
펴낸곳 안전가옥

기획 안전가옥
프로듀서 김신
김보희 · 이수인 · 이은진 · 임미나
퍼블리싱 박혜신 · 임수빈
편집 이혜정
디자인 금종각
서비스 디자인 김보영
비즈니스 이기훈
경영지원 홍연화

출판등록 제2018-000005호
주소 (04779) 서울특별시 성동구 뚝섬로1나길 5, 헤이그라운드 성수 시작점 202호
대표전화 (02) 461-0601
전자우편 marketing@safehouse.kr
홈페이지 safehouse.kr
ISBN 979-11-90174-67-1
초판 1쇄 2020년 1월 20일 발행
초판 9쇄 2024년 8월 19일 발행

안전가옥 쇼-트 시리즈

01 심너울 단편집 《땡스 갓, 잇츠 프라이데이》
02 조예은 단편집 《칵테일, 러브, 좀비》
03 한켠 단편집 《까라!》
04 전삼혜 단편집 《위치스 딜리버리》
05 《짝꿍: 듀나×이산화》
06 김여울 경장편 《잘 먹고 잘 싸운다, 캡틴 허니 번》
07 설재인 단편집 《사뭇 강펀치》
08 김청귤 경장편 《재와 물거품》
09 류연웅 경장편 《근본 없는 월드 클래스》
10 범유진 단편집 《아홉수 가위》
11 《짝꿍: 서미애×이두온》
12 배예람 단편집 《좀비즈 어웨이》
13 하승민 경장편 《당신의 신은 얼마》
14 박에스더 경장편 《영매 소녀》
15 김혜영 단편집 《푸르게 빛나는》
16 김혜영 단편집 《그분이 오신다》
17 강민영 경장편 《전력 질주》
18 김달리 경장편 《밀림의 연인들》
19 전삼혜 단편집 《위치스 파이터즈》
20 강화길 단편집 《안진: 세 번의 봄》
21 유재영 경장편 《당신에게 죽음을》
22 해도연 단편집 《위그드라실의 여신들》
23 가언 단편집 《자네 이름은 산초가 좋겠다》
24 백승화 경장편 《성은이 냥극하옵니다》
25 박문영 경장편 《컬러 필드》
26 이하진 경장편 《마지막 증명》
27 권유수 경장편 《미래 변호사 이난영》
28 청예 경장편 《수빈이가 되고 싶어》
29 권혁일 단편집 《첫사랑의 침공》
30 최해린 경장편 《우리들의 우주열차》
31 김효인 경장편 《사랑은 하트 모양이 아니야》(근간)